LE LIVRE DE

JOSUÉ

Ce fascicule a été revu, pour le Comité de Direction, par M. l'Abbé CAZELLES, P. S. S., *Professeur au Grand Séminaire d'Issy, et par le* R. P. CHIFFLOT, O. P.

LA SAINTE BIBLE

traduite en français

sous la direction de l'École Biblique de Jérusalem

LE LIVRE DE

JOSUÉ

traduit par

F.-M. ABEL, O. P.

Professeur à l'École Biblique

(2e édition revue)

Introduction et notes de
la 2e édition par

M. DU BUIT, O. P.

Professeur à l'École Biblique

LES ÉDITIONS DU CERF

29, boulevard Latour-Maubourg, Paris

1958

NIHIL OBSTAT :   IMPRIMI POTEST :
Romae, 29ª septembris 1958.   *Romae, 13ª octobris 1958.*
C. KEARNS, O. P.   M. BROWNE, O. P.
G. DUNCKER, O. P.   Mag. Gen.

IMPRIMATUR :
Parisiis, 15ª octobris 1958.
P. GIRARD, P. S. S.
v. g.

INTRODUCTION[1]

Après les livres de la Loi, ou Pentateuque, le livre de Josué ouvre la série des livres historiques, selon les Grecs, ou, selon les Hébreux, des « Prophètes antérieurs », ceux-ci étant ceux qui n'ont pas seulement parlé ou écrit, mais conduit effectivement le peuple d'Israël dans les voies de Dieu et sous son inspiration. Comme tous ceux de son groupe, le livre de Josué ne porte aucune indication d'auteur. Il ne contient non plus aucun renseignement chronologique. Si la Genèse est avant tout le livre des Promesses, et les livres suivants ceux des Commandements, le livre de Josué est celui des réalisations : Dieu s'y montre fidèle, et le peuple de son côté docile. Par ailleurs les hauts faits de Josué prennent la suite de ceux de Moïse, et, s'il ne pose pas de lois générales, ses décisions territoriales ont, dans leur ordre, une valeur équivalente. Nous sommes encore dans ce passé où se constitue tout ce qui sera plus tard la réalité du peuple d'Israël. Ce n'est donc pas arbitrairement qu'on a fait de ce livre le sixième volume d'un *Hexateuque*. Mais l'étude des affinités littéraires conduit plutôt à y voir le premier volume d'une *histoire deutéronomique*.

---

1. Le livre de Josué contient de nombreux renseignements géographiques sur la Palestine. Les expliquer complètement obligerait à reproduire ici la moitié de la *Géographie de la Terre Sainte* parue dans la collection annexe à la « Bible de Jérusalem »; nous nous excusons donc d'avoir à y renvoyer souvent le lecteur. Ce sera le cas pour tout ce qui touche aux données physiques d'une part, et à l'identification des sites de l'autre.

**Intention
et genre littéraire.**

Le livre de Josué raconte la conquête et le partage de la Terre Promise, c'était l'occasion de la décrire et les deutéronomistes y ont mis leurs soins. C'est d'ailleurs une intention constante de cette école, qui a parsemé ses œuvres de notes géographiques, résumés d'ensemble ou notices de détail, p. ex. Dt 1 7; 11 30; 34 1-3. Déjà les premiers rassembleurs de traditions avaient organisé leurs récits suivant des itinéraires. Compte tenu des renseignements des écrivains anciens et de l'exploration moderne du pays, tous ces documents se montrent bons, ils permettent d'établir une carte précise et assez complète de la Palestine ancienne. Ils donnent ainsi un support matériel aux narrations historiques ou épiques.

Mais il n'est pas contestable que les deutéronomistes ont voulu surtout faire de l'histoire. Leur souci d'objectivité ressort du soin avec lequel ils ont rassemblé les souvenirs du passé, même quand certains d'entre eux s'intégraient mal à leur système général. Ce souci découlait de la conviction profonde que le passé était l'œuvre de Dieu, qui avait manifesté là son élection d'Israël en même temps que ses exigences envers lui, conditions de la prospérité et du bonheur de ce peuple. On pourrait attribuer comme devise à cette école ces mots : « Rappelle-toi les jours du passé, considère les années d'âge en âge, interroge ton père, qu'il te l'apprenne, tes anciens, qu'ils te le disent » (Dt 32 7).

Mais deux raisons, d'importance inégale, ont empêché les deutéronomistes de faire une œuvre historique conforme aux exigences qui nous sont devenues habituelles.

La première est qu'ils avaient peu conscience des différences entre le passé lointain et le passé proche, et commettaient facilement des anachronismes.

La seconde, beaucoup plus sérieuse, est qu'ils ne se rendaient pas compte que leurs documents n'étaient pas tous à proprement parler de l'histoire; le genre littéraire de ceux-ci s'est ainsi imposé à eux sans qu'ils en eussent pleinement conscience.

On peut essayer de le décrire ainsi : Une représentation du passé, conforme aux vues d'une société primitive, simplifiée et embellie de façon à mettre en évidence certaines valeurs morales et surtout religieuses.

Qu'il s'agît des anciennes traditions orales ou du travail postérieur des écrivains, c'était toujours la foi d'Israël qui était à l'œuvre, mais ses modalités d'application n'étaient pas les mêmes. D'un côté elle s'affirmait en toute spontanéité, de l'autre elle se recherchait dans les souvenirs d'un passé qu'elle reconnaissait comme providentiel. Rien de tout cela ne nous est devenu étranger. Dans la mesure où nous pouvons reconstituer l'histoire primitive d'Israël, ses leçons demeurent valables pour nous. Et dans la mesure où nous pouvons retrouver dans l'expression naïve des anciens narrateurs ce qui fut jadis leur foi, celle-ci est encore la nôtre, compte tenu du renouvellement apporté depuis lors à la Révélation.

La personne de Josué. C'est évidemment dans les livres de Moïse qu'il faut chercher les premiers renseignements sur Josué; mais ces livres, orientés sur la personne et le rôle du grand législateur, ne nous disent pas tout ce que nous aimerions savoir de son successeur, il n'y a pas de récit de la vocation de Josué comparable à ceux que nous avons pour Saül, David, ou Élisée. Une seule chose est certaine : Josué, fils de Nûn, est membre de la tribu d'Éphraïm, Nb **13** 8, 16; Jos **19** 49, 50[1]. D'après le livre des Nombres, **13** 16, Moïse changea son nom de Hoshéa (*Hôšéaʿ* pour *Hôšíaʿ* (*El*)) en celui de Josué (*Yᵉhôšuaʿ* pour *Yahwéh-hôšíaʿ*) ce qui correspond à la révélation du nom divin,

---

1. On ne sait que faire de traditions rapportées par le Chroniste dans un état de confusion complète, 1 Ch **7** 20-27. En comparant avec Nb **26** 35-37, on voit qu'il met à la suite des personnages d'une même génération, (Béred = Béker, et Tahat = Tahân). Réphah du v. 25 n'est donc pas le fils de Béria du v. 23, qui, lui, est déjà installé en Palestine, mais doit appartenir à l'une des deux premières générations, vv. 20-21. Et c'est peut-être par un raisonnement d'érudit que le Chroniste, ou sa source, rattache Josué fils de Nûn à Élishama fils d'Ammihud de Nb **1** 10.

Ex 6 2. La tradition n'insiste pas sur les exploits de Josué du vivant de Moïse : son action à Rephidim, Ex **17**, est un fait isolé et n'a pas de parallèle dans les campagnes de Transjordanie, Nb **21** 21-35 ; **31** ; Dt **2** ; **3** ; quant à l'intervention de Josué à Cadès-Barné, il y a sur ce point des traditions diverses, (cf. note sur **14** 7). Au contraire, l'ensemble des textes insiste abondamment sur la relation personnelle entre Josué et Moïse, si étroite qu'elle vaut au disciple des privilèges religieux exceptionnels : il monte avec son maître au Sinaï, Ex **24** 13 ; **32** 17, habite la Tente de Réunion, Ex **33** 11, et défend avec zèle les intérêts de Moïse, Nb **11** 28. En vertu de la promesse divine, il reste, avec Caleb, le seul survivant de la génération qui a manqué de foi à Cadès-Barné, et donc le seul témoin des merveilles de la sortie d'Égypte, Nb **26** 65 ; **32** 12. Sur lui « demeure l'esprit » et c'est en vertu de ce privilège religieux que Moïse, sur l'ordre de Yahvé, désignera Josué comme son successeur en lui imposant solennellement les mains, Nb **27** 15-23 ; Dt **34** 9, cf. 2 R **2** 9 s. A partir de ce moment, les textes nous le montrent associé au gouvernement de la communauté, Nb **32** 28, et désigné d'avance pour faire le partage de la Palestine, Nb **34** 17 ; cependant que le Deutéronome nous le fait voir encore assistant Moïse dans ses derniers moments, Dt **31** 14 ; **32** 44. Ainsi Josué est-il, aux yeux de la tradition, le serviteur, ou auxiliaire, de Moïse (cf. note sur **1** 1), comme Élisée sera plus tard celui d'Élie, et son « successeur dans l'office prophétique », Si **46** 1. C'est de l'assistance divine que lui viennent l'autorité sur son peuple et la force contre ses ennemis (cf. **1** 5, 17, etc.), et c'est Yahvé lui-même qui le relèvera en un instant d'échec et de découragement (**7** 10).

La conquête et l'occupation de la Palestine. — Notre livre présente ces événements suivant un schéma très simple, en les échelonnant sur des itinéraires bien connus de l'antiquité et encore en usage aujourd'hui : passage du Jourdain et prise de Jéricho, montée sur le plateau par Aï, occupation de la région centrale

par l'alliance avec Gabaôn, consolidée par la défaite des rois
du sud, exploitation du succès vers le sud-ouest. Une deuxième
campagne ouvre aux Israélites les régions du nord. Ce système
ne va pas sans difficultés. On se rendra compte que la prise
de Aï n'eut pas l'importance que lui attribue notre livre (7; 8);
on verra aussi que la prise de Maqqéda, 10 16 s, n'est pas la
suite du combat de Gabaôn mais une nouvelle entreprise partie
de la montagne de Juda qu'il faut supposer occupée au moins
en partie. D'autre part, on est frappé de voir qu'il n'y a pas
de récit de la prise de Sichem, qui n'est même pas nommée
dans la liste du ch. 12. Étant donné l'importance de cette ville,
on est conduit à l'idée que Josué a dû renouer avec elle l'alliance
patriarcale, Gn 33 18-20, qui fut rompue plus tard à deux
reprises, Gn 34; Jg 9. Le parti pris anti-cananéen du rédacteur
de notre livre a pu le conduire à éliminer le souvenir d'un
pareil traité, qui est peut-être sous-jacent aux ch. 8 30-35 et
24. Un chemin de migration conduit directement de Jéricho
aux environs de Sichem. La même hypothèse pourrait être
envisagée aussi pour Béthel dont la situation dans la liste du
ch. 12 n'est pas bien assurée. Le centre naturel de cette activité
se trouvait à Gilgal près de Jéricho, comme il le sera encore
sous Saül, 1 S 11 15; 13 4 s; c'était le seul endroit où les tribus
du centre et celles du sud pussent se rencontrer quand Jérusalem était tenue par les Cananéens. Aussi la plupart de nos
récits proviennent-ils d'un « cycle de Gilgal » d'où notre
rédacteur s'est contenté de les tirer, avec quelques additions
et transitions où se reconnaît sa main.

Enfin, le point de vue unitaire de notre rédacteur le pousse
à considérer les exploits d'un groupe particulier comme appartenant à Israël tout entier; de là à attribuer tels de ceux-ci à
Josué en personne, il y a peu de distance. C'est ainsi que nous
trouvons la tradition propre des Calébites, une fois à l'état
pur pour ainsi dire, 15 17-19, une autre fois, assimilée au cycle
de Gilgal, 14 6-15, et ailleurs les mêmes actions attribuées à
Josué en personne, 10 36-39; 11 21-23. Il n'est pas exclu que
la même chose ne se soit produite pour les tribus du nord, 11,

ce qui obligerait à admettre que ces groupes ne participèrent pas à la migration en Égypte (cf. aussi **19** 10; **24**).

Les documents géographiques. A en juger par l'importance matérielle des textes, la tradition attache autant de prix au rôle de Josué dans la distribution de la Palestine que dans sa conquête. Notre livre rapporte deux séries d'arbitrages, l'une pour les grandes tribus, **14-17**, l'autre pour les petites, **18-19**. Cette distinction purement logique correspond difficilement à la réalité des faits, elle doit être l'œuvre du rédacteur qui s'est trouvé en présence de deux anciens textes sur lesquels il a fait ses deux introductions, **14** 1-5 et **18** 1-10. Il est très difficile que la frontière nord de Juda ait été fixée *a priori*, cf. **15** 5. De leur côté, les ch. **16-17** gardent trace de deux systèmes : dans le premier les « fils de Joseph » formaient une seule unité territoriale, mais deux dans le second. Il paraît donc plus vraisemblable qu'un premier règlement ait porté sur l'ancien pays patriarcal, de Sichem à Bersabée, c'est celui-ci qu'on penserait attribuer effectivement à Josué et au prêtre Éléazar. Mais l'autorité de ces deux noms s'étendit à un deuxième arbitrage qui porta sur les tribus périphériques et, pour arriver au chiffre de douze, subdivisa les « fils de Joseph » en deux circonscriptions, les lévites n'ayant pas de territoire propre. On retiendra de la seconde introduction que cet arbitrage eut lieu à Silo.

C'est de ce deuxième arbitrage que nos documents conservent le mieux la trace, et c'est dans le passage relatif aux « fils de Joseph » qu'on peut le mieux se rendre compte de son contenu. Il y avait d'abord des tracés de frontières, établis avec précision dans les régions où se rencontraient deux tribus maîtresses du sol, prolongés d'une manière vague et arbitraire, ou même absents, là où les Cananéens dominaient le pays. Il y avait aussi des listes de villes cananéennes où résidaient des familles israélites dont les droits tribaux étaient ainsi enregistrés. Suivant la situation sociologique des diverses tribus, les textes correspondants étaient variés : frontières seulement pour Juda et Éphraïm, liste seulement pour Dan, mélange pour Manassé et pour les gens du nord.

Soucieux de perfection, nos rédacteurs ont ajouté à ce document primitif d'autres qui représentent un état plus avancé de l'habitation. Le principal est la liste des villes de Juda, de Benjamin, et probablement de Siméon, prise sur un texte administratif d'époque royale. Il y a aussi des indices d'additions aux listes des tribus du nord, ces renseignements pourraient provenir de rescapés de la déportation de Téglat-Phalasar III, 2 R 15 29. Rien de semblable ne s'est produit pour la région centrale et c'est pourquoi le texte correspondant a mieux conservé son contenu primitif.

Enfin nos rédacteurs ont inséré dans les notices des tribus des renseignements variés sur la conquête ou la colonisation de leurs territoires, qu'on trouvera complétés au premier chapitre du livre des Juges.

L'ensemble ainsi constitué est exceptionnel dans toute la littérature antique par son abondance et sa précision. On ne s'étonne pas que les documents analogues des empires voisins se soient perdus, la conservation du nôtre tient à la valeur religieuse que les Juifs reconnurent toujours à la Terre des Promesses. Mais on admire que les tribus autonomes aient réussi à délimiter de façon stable leur territoire. L'antiquité de nos documents résulte pourtant de leur consistance même, et d'ailleurs, la Bible qui mentionne des guerres entre tribus ne signale pas qu'elles aient entraîné des déplacements de frontières, Jg 12; 21. Il faut faire honneur d'un si grand résultat à la discipline religieuse, à l'autorité durable des noms de Josué et d'Éléazar, et sans doute aussi à l'activité des grands prêtres de Silo.

Composition. A côté des documents géographiques, auxquels il faut ajouter ceux des ch. 20 et 21, les sources de notre livre comprenaient principalement le cycle de Gilgal, formant le fond des ch. 2-10, et quelques autres éléments narratifs plus dispersés. Sur cette base ont travaillé deux rédacteurs deutéronomistes successifs. Le premier rédigea, en guise de conclusion, le discours du ch. **23** qui se raccordait à une première introduction au livre des Juges, **2** 6 s. Le second, ayant retrouvé les éléments anciens du ch. **24**, a rédigé le discours correspondant, et ajouté les deux appendices de la fin, le tout se rattachant à l'introduction actuelle du livre des Juges, **1** 1 s. Il est très probable que c'est le même rédacteur qui a introduit le récit de **8** 30-35, peut-être d'après la même source, ainsi qu'un léger remaniement à **1** 10; ailleurs sa main est indiscernable. L'œuvre des rédacteurs est d'abord de compilation, d'harmonisation, de liaison, on en trouvera en bien des endroits la trace. Elle est surtout une œuvre d'explication théologique profonde qu'on trouvera dans les discours prêtés à Josué ou à Yahvé lui-même suivant un procédé commun chez les historiens anciens. En milieu oriental, il faut le rapprocher de l'usage des traités et des contrats où l'on voit quelquefois l'une des parties faire un bref discours où sont contenus un résumé des événements, des considérations morales, des déclarations d'intention, le tout aboutissant aux paroles décisives. De leur côté, les narrations historiques assyriennes sont généralement précédées d'un court préambule où l'on souligne la piété et la loyauté du roi, la rébellion de ses ennemis. L'ancien Orient ne sépare jamais le fait et le droit. Dans un livre comme le nôtre, il s'imposait d'exprimer assez longuement le sens des événements. Étant donné d'autre part que ceux-ci fondaient la vie d'Israël dans son cadre physique, il était naturel d'agir à la façon des notaires publics et de faire parler Yahvé lui-même ou Josué son représentant. On le fit avec d'autant plus de simplicité qu'on n'introduisait dans ces discours aucune doctrine originale, et qu'on se contentait de coudre bout à bout des textes empruntés à la Loi deutéronomique.

Les textes. Le texte hébreu de Josué est, d'une manière générale, en bon état, assez chargé par endroits de gloses ou d'épithètes. Parmi les textes grecs, le plus important est celui de la recension égyptienne, représentée surtout par le *Vaticanus* (G^B) : c'est le témoin d'un ancien texte hébreu palestinien, il est souvent plus bref que le massorétique, et donne certains noms de lieux sous une meilleure forme. Les autres recensions, et en particulier celle de Constantinople, représentée par l'*Alexandrinus* (G^A), ont été plus ou moins révisées sur l'hébreu massorétique, leur intérêt principal est de donner parfois une troisième version, témoin possible d'une variante intéressante de celui-ci.

LE LIVRE DE JOSUÉ

I

CONQUÊTE DE LA TERRE PROMISE

I. Préparatifs

**Invitation à passer
en Terre Promise** *a*.

1. ¹ Après la mort de Moïse, serviteur de Yahvé *b*, Yahvé parla à Josué, fils de Nûn *c* et auxiliaire de Moïse *d*, et lui dit : ² « Moïse, mon serviteur, est mort, il est temps d'agir et de passer le Jourdain que voici, toi et tout ce peuple, vers le pays que je donne aux enfants d'Israël. ³ Tout lieu que foulera la plante de vos pieds, je vous le donne, comme je l'ai déclaré à Moïse. ⁴ Depuis le désert et le Liban jusqu'au grand fleuve, l'Euphrate, et jusqu'à

---

1 2. « *donne aux enfants d'Israël* » conj.; « *leur donne aux enfants d'Israël* » H ; « *leur donne* » G.

4. « *le Liban* » G ; « *ce Liban* » H. — *Après* « *Euphrate* » H *ajoute* « *tout le pays des Hittites* »; *omis par* G ; *cf.* **3** 10.

a) Ce ch. entièrement deutéronomique se raccorde à Dt **34**.

b) « Serviteur de Yahvé » d'après Dt **34** 5. Ce titre qu'on retrouvera tout au long du livre est une marque du rédacteur deutéronomiste.

c) G écrit constamment IHΣOY fils de NAYH. Le premier nom transcrit une forme abrégée (Ne **8** 17), le second dérive d'une corruption orthographique : NAYN en NAYH.

d) « Auxiliaire » mᵉšârét, titre habituel de Josué (Ex **24** 13; **33** 11; Nb **11** 28), plus honorable que 'èbèd (1 R **1** 4, 15; **19** 21), employé aussi pour les fonctionnaires royaux (1 Ch **27** 1, etc.).

la Grande Mer, vers le soleil couchant, tel sera votre territoire *a*. ⁵ Personne, tout le temps de ta vie, ne pourra te
résister *b* : je serai avec toi *c* comme j'ai été avec Moïse, je
ne t'abandonnerai point ni ne te délaisserai.

**La fidélité à la Loi,
condition
du secours divin.**

⁶ « Sois fort et tiens bon *d*,
car c'est toi qui vas mettre
ce peuple en possession du
pays que j'ai juré à ses pères
de lui donner. ⁷ Seulement,
sois fort et tiens bon pour veiller à agir selon toute la Loi
que mon serviteur Moïse t'a prescrite. Ne t'en écarte ni
à droite ni à gauche, afin de réussir dans toutes tes démarches *e*. ⁸ Que le livre de cette Loi soit *f* toujours sur tes
lèvres : médite-le jour et nuit afin de veiller à agir suivant
tout ce qui y est écrit. C'est alors que tu seras heureux
dans tes entreprises et réussiras. Ne t'ai-je pas donné cet
ordre : ⁹ Sois fort et tiens bon ? Sois donc sans crainte ni
frayeur *g*, car Yahvé ton Dieu est avec toi partout où tu
iras. »

**Concours des tribus
d'outre-Jourdain.**

¹⁰ Josué donna ensuite aux
scribes *h* du peuple l'ordre
que voici : ¹¹ « Parcourez le
camp, dites au peuple : Faites

---

7. « *tiens bon* » G ; « *tiens très bon* » H.

a) Les vv. 3 et 4 reproduisent presque exactement Dt **11** 24-25. Sur
l'extension des promesses à toute la Syrie, cf. Dt **1** 7; Gn **15** 18; Ex **23** 31;
elle vient des souvenirs du royaume de David, cf. *Géographie*, p. 154.
b) Même expression Dt **7** 24.
c) Cf. Ex **3** 12.
d) Cf. Dt **31** 7-8, 23.
e) Cf. Dt **5** 32, 33; **29** 8.
f) Cf. Dt **17** 18, 19.
g) Cf. Dt **1** 29 s; **7** 21; **20** 1 s; **31** 6 presque identique. Noter le v. 9
en rappel de 6.
h) « Scribes », *šoṭ⁰rîm,* institution royale civile, 2 Ch **19** 11; **34** 13;
Pr **6** 7, et à l'occasion auxiliaire du commandement militaire, 1 Ch **27** 1;

des provisions, car dans trois jours vous passerez ce Jourdain, pour aller occuper le pays dont Yahvé votre Dieu
vous donne la possession. » ¹² Puis aux Rubénites*ᵃ*, aux
Gadites et à la demi-tribu de Manassé, Josué parla ainsi :
¹³ « Rappelez-vous ce que vous enjoignit Moïse, serviteur de Yahvé : Yahvé votre Dieu, en vous accordant le
repos, vous a donné ce pays-ci. ¹⁴ Vos femmes, vos petits
enfants et vos troupeaux peuvent rester dans le pays que
vous a donné Moïse au delà du Jourdain. Quant à vous,
tous les hommes de guerre, vous passerez en armes en
tête de vos frères, et vous leur prêterez main-forte ¹⁵ jusqu'à ce que Yahvé accorde le repos*ᵇ* à vos frères comme à
vous, lorsqu'ils auront pris possession eux aussi du pays
que Yahvé votre Dieu leur donnera. Vous pourrez alors
retourner au pays qui vous appartient et que vous a donné
le serviteur de Yahvé, Moïse, au delà du Jourdain, vers
le soleil levant*ᶜ*. » ¹⁶ Ils répondirent alors à Josué : « Tout
ce que tu nous as commandé, nous le ferons, et partout
où tu nous enverras, nous irons. ¹⁷ De même que nous
avons obéi en toute chose à Moïse, ainsi nous t'obéirons*ᵈ*.
Puisse seulement Yahvé ton Dieu être avec toi comme il
fut avec Moïse ! ¹⁸ Quiconque sera rebelle à ta voix et

15. *Après « qui vous appartient », H ajoute « et vous l'occuperez »; omis par
G, dittographie probable.*

2 Ch **26** 11; le Dt en fait une institution permanente : **1** 15; **16** 18; **29** 9;
31 28, de même Nb **11** 16. — Les vv. 10-11 viennent probablement de
3 1, 2, et ont été déplacés pour donner plus d'unité à l'ensemble.
a) Les vv. 12-15 reproduisent, à l'ordre près, Dt **3** 18-20; même tradition dans Nb **32**.
b) « Repos », cf. Dt **12** 9 (trad. « établissement »), d'où Ps **95** 11, et He **3**
11 compte tenu de Ps **132** 8, 14.
c) « Au delà du Jourdain vers le soleil levant » : probablement une glose
faite du point de vue palestinien et passée dans le texte.
d) Cf. Dt **34** 9.

n'obéira pas à tes ordres, quoi que tu lui ordonnes, qu'il
soit mis à mort[a] ! Pour toi, sois fort et tiens bon. »

**Les espions de Josué
à Jéricho**[b].

2. [1] Josué, fils de Nûn,
envoya secrètement de Shittim deux espions avec cette
consigne : « Allez, examinez
le pays de Jéricho. » Ils y allèrent et se rendirent à la maison
d'une prostituée nommée Rahab[c], et ils y couchèrent.
[2] On le fit savoir au roi de Jéricho en ces termes : « Voici
que des hommes, de chez les Israélites, sont venus ici
cette nuit en vue de reconnaître le pays[d]. » [3] Alors le roi
de Jéricho envoya dire à Rahab : « Fais sortir les hommes
venus chez toi, — qui sont descendus dans ta maison[e], —
car c'est pour reconnaître tout[f] le pays qu'ils sont venus. »
[4] Mais la femme prit les deux hommes et les cacha. « C'est
vrai, répondit-elle, ces hommes sont venus chez moi,
mais je ne savais pas d'où ils étaient. [5] Lorsque à la nuit
tombante on allait fermer la porte de la ville, ils sont sortis

---

a) Cf. Dt **17** 12, etc. On retrouve en conclusion des éléments des vv. 5
et 6. La devise « Sois fort et tiens bon » a été retenue par le Siracide dans
son portrait de Josué, **46** 1-6, dans l'esprit sinon les termes, elle nous
rappelle que l'œuvre de Dieu est un combat.

b) La mention de Shittim (v. 1) renvoie à Nb **25** 1; **33** 49, et se retrouvera ici **3** 1. Les contacts littéraires de ce ch., quand ils existent, sont
avec les traditions de Ex et de Nb plus qu'avec Dt, c'est un récit indépendant rattaché au cycle de Gilgal. Il y a des indices que c'était le prélude
d'un récit de la conquête de Jéricho, remplacé plus tard par **6** 1-22, cf. **8** 2;
10 28 s; **24** 11.

c) Rahab (*Râḥâb*, distinct de Rahab monstre mythique, Jb **9** 13, et
nom symbolique de l'Égypte, Ps **87** 4) est devenue, dans l'exégèse allé-
gorique de certains Pères, une figure de l'Église de la gentilité, accueillant
les envoyés de Jésus (= Josué en grec), sauvée par sa foi (He **11** 31) et
agissant dans ses œuvres (Jc **2** 25).

d) Cf. Nb **13** et 2 S **10** 3.

e) Cette explication atténue le sens réaliste que peuvent prendre les
mots : « venus à toi », cf. Gn **16** 2.

f) « Tout » : ce mot, absent de G, indique d'avance que l'affaire dépasse
les environs immédiats de Jéricho.

et je ne sais pas où ils sont allés. Mettez-vous vite à leur poursuite, car vous pouvez encore les atteindre. »

⁶ Or elle les avait fait monter sur la terrasse et les avait cachés sous des tiges de lin qu'elle y avait entassées. ⁷ Les gens les poursuivirent dans la direction du Jourdain vers les gués, et l'on ferma la porte dès que furent sortis ceux qui étaient à leur poursuite.

Le pacte entre Rahab et les espions.

⁸ Quant à eux, ils n'étaient pas encore couchés que Rahab monta vers eux sur la terrasse. ⁹ Elle leur dit : « Je sais que Yahvé vous a donné ce pays, que vous faites notre terreur et que tous les habitants de cette région ont été pris de panique*a* à votre approche : ¹⁰ car nous avons appris comment Yahvé avait mis à sec devant vous les eaux de la mer des Roseaux à votre sortie d'Égypte, et ce que vous avez fait aux deux rois amorites de l'autre côté du Jourdain, à Sihôn et à Og, que vous avez voués à l'anathème. ¹¹ En l'apprenant, le cœur nous a manqué et l'on ne trouve plus chez personne le courage de vous tenir tête*b*, parce que Yahvé, votre Dieu, est Dieu aussi bien là-haut dans les cieux que sur la terre ici-bas*c*. ¹² Jurez-moi donc maintenant par Yahvé, puisque je vous ai traités avec bonté, qu'à votre tour vous traiterez avec bonté la

---

2 5. « *ils sont allés* » *G ; H répète* « *les hommes* ».

7. « *vers* » '*el conj.*; « *sur* » '*al H*.

9. « *leur* » *G ; « aux hommes » H*.

---

a) « Terreur » et « panique » : ces deux mots ensemble dans Ex **15** 15, 16. La première est promise dans Ex **23** 27 (trad. « panique »), cf. Dt **7** 23 en d'autres termes, elle a un certain caractère religieux, Gn **15** 12 (« effroi »).

b) « On ne trouve... tenir tête » : paraphrase, cf. **5** 1.

c) « ce que vous avez fait... terre ici-bas » : addition du deutéronomiste, résumé de Dt **2** 26-36, description de la terreur physique en termes voisins de Dt **20** 8, profession de foi selon Dt **4** 39.

maison de mon père et m'en donnerez un signe certain;
¹³ que vous laisserez la vie sauve à mon père et à ma mère,
à mes frères et à mes sœurs, à tous ceux qui leur appartiennent, et que vous nous préserverez de la mort. »
¹⁴ Alors les hommes lui répondirent : « Autrement, ce
serait à nous-mêmes de mourir à votre place, à moins que
vous ne divulguiez notre convention ! Quand Yahvé
nous aura livré le pays, nous agirons envers toi avec bonté
et loyauté. » ¹⁵ Rahab les fit descendre par la fenêtre au
moyen d'une corde, car sa maison était contre le mur
d'enceinte et elle-même logeait dans le rempart. ¹⁶ « C'est
vers la montagne, leur dit-elle, qu'il vous faut aller pour
échapper à ceux qui vous poursuivent. Cachez-vous là-haut
pendant trois jours jusqu'au retour de cette patrouille, et
puis, allez votre chemin. » ¹⁷ᵃ Les hommes répliquèrent :
« Nous autres, nous serons quittes du serment que tu
nous as fait prêter, à ces conditions : ¹⁸ Voici, à notre
arrivée dans le pays, tu useras de ce signe : tu attacheras
ce cordon de fil écarlate à la fenêtre par laquelle tu nous
as fait descendre, et tu rassembleras auprès de toi dans la
maison ton père, ta mère, tes frères et toute ta famille.
¹⁹ Quiconque franchira les portes de ta maison pour sortir,
son sang retombera sur sa tête ᵇ et nous en serons inno-
cents; mais le sang de quiconque restera avec toi dans la
maison retombera sur nos têtes si l'on porte la main sur
lui. ²⁰ S'il t'arrive de révéler notre présent entretien, nous
serons dégagés de ton serment. » ²¹ Elle répondit : « Qu'il

---

14. *Après « convention », H ajoute « que voici »; G différent dans cette fin du v.*
18. *« tu useras de ce signe » G ; omis par H.*
20. *Après « de ton serment », H ajoute « que tu nous as fait prêter »; omis par G.*

---

a) Les vv. 17-21 se placeraient mieux avant v. 15, ils n'ont pas d'écho
au ch. **6** et doivent venir d'une tradition parallèle.
b) Expression juridique, cf. Lv **20** 9, 11 s.

en soit ainsi ! » Elle les fit partir, et ils s'éloignèrent. Alors elle attacha le cordon écarlate à la fenêtre.

Retour des espions. [22] Ils partirent et gagnè-rent la montagne. Ils y res-tèrent trois jours, jusqu'à ce que fussent rentrés les gens envoyés à leur poursuite. Ceux-ci avaient battu tout le chemin sans les trouver. [23] Alors les deux hommes redescendirent de la montagne, passèrent le fleuve et se rendirent auprès de Josué, fils de Nûn, à qui ils racontèrent tout ce qui leur était arrivé. [24] Ils dirent à Josué : « Yahvé a livré tout ce pays entre nos mains et déjà tous ses habitants tremblent devant nous[a]. »

II. LE PASSAGE DU JOURDAIN[b]

Préliminaires du passage. 3. [1] Josué se leva de bon matin et partit de Shittim avec tous les Israélites. Ils s'avancèrent jusqu'au Jour-

---

3 1. « *et partit* » *G et Versions, qui traduisent sans précision* « *ils levèrent le camp* » *de H.*

---

a) La conclusion reprend v. 9[b]. Dans l'organisation actuelle du livre, ce ch. montre un début de réalisation des promesses divines.

b) Les ch. **3, 4, 5** conservent la trace de deux traditions parallèles. L'une aboutit à la fondation du sanctuaire de Gilgal avec douze pierres tirées du milieu du Jourdain, **4** 3, 8, 20-24; l'autre à l'érection de douze autres pierres au milieu du fleuve, prises sur la rive, **4** 4-7, 9; il ne paraît pas possible de les distinguer plus complètement. Gilgal, dont la position précise est incertaine, était à peu de distance à l'est de Jéricho.

Le parallèle entre le passage du Jourdain et celui de la mer Rouge est souligné par de nombreux contacts de mots ou d'idées.

Les Pères grecs, à la suite d'Origène, ont développé le rapport symbo-lique entre Josué et Jésus, le passage du Jourdain et le baptême; ils ont fixé le souvenir du baptême de N. S. à l'endroit où les Juifs célébraient le passage du fleuve, à mi-chemin entre Shittim et Jéricho; il y avait là un

dain et bivouaquèrent là avant le passage. [2] Au bout de
trois jours, les scribes[a] parcoururent le camp [3] et donnèrent
au peuple cet ordre : « Quand vous verrez l'arche de
l'alliance de Yahvé votre Dieu et les prêtres lévites[b] qui
la portent, vous quitterez le lieu où vous stationnez et
vous la suivrez[c], [4b] afin que vous sachiez quel chemin
prendre, car vous n'êtes jamais passés par ce chemin.
[4a] Toutefois, qu'il y ait entre vous et l'arche un espace
d'environ deux mille coudées[d] : n'en approchez pas. »
[5] Josué dit au peuple : « Sanctifiez-vous[e] pour demain,
car, demain, Yahvé accomplira des prodiges au milieu
de vous », [6] et, s'adressant aux prêtres : « Portez l'arche
d'alliance, leur dit-il, et traversez en tête du peuple. »
Ceux-ci prirent sur eux l'arche d'alliance et s'avancèrent
à la tête du peuple.

Dernières instructions.
[7] Yahvé dit à Josué : « Aujourd'hui même, je commencerai à te grandir aux yeux
de tout Israël, afin qu'il sache que, comme j'ai été avec
Moïse, je serai avec toi[f]. [8] Pour toi, tu donneras cet ordre
aux prêtres portant l'arche d'alliance : ' Lorsque vous

---

gué aujourd'hui reporté un peu en aval. Les Chrétiens orientaux y pratiquent encore un bain rituel.

Les chroniqueurs arabes rapportent qu'en 1267 de notre ère un éboulement des berges du Jourdain en arrêta le cours pendant une demi-journée.

a) Cf. **1** 10.

b) « Prêtres lévites » : ici et **8** 33 seulement dans ce livre, fréquente dans Dt **17** 9, 18, etc., et les prophètes écrivains, cette expression est dirigée contre l'usurpation du sacerdoce non lévitique, 1 R **12** 31, etc.

c) Cf. Nb **10** 33.

d) C'est la distance d'un chemin sabbatique (promenade permise le jour du sabbat), soit 1 km., parenthèse inspirée par la crainte devant la transcendance divine, de même 2 S **6** 7; Ex **19** 12.

e) Même idée et même racine Ex **19** 10-15. Ce rituel comporte le lavage des vêtements et l'abstinence sexuelle, cf. 1 S **21** 5-7 (trad. « pur »).

f) Cf. **1** 5.

aurez atteint le bord des eaux du Jourdain, c'est dans le
Jourdain même que vous vous tiendrez^a '. » ⁹ Josué dit
ensuite aux Israélites : « Approchez et écoutez les paroles^b
de Yahvé votre Dieu. » ¹⁰ Et Josué dit : « A ceci, vous
reconnaîtrez qu'un Dieu vivant^c est au milieu de vous
et qu'il chassera certainement de votre présence le Cananéen, le Hittite, le Hivvite, le Perizzite, le Girgashite,
l'Amorite et le Jébuséen^d. ¹¹ Voici : l'arche de Yahvé,

---

11. « *de Yahvé* » *conj. d'après v.* 13 *et Syr* ; « *d'alliance* » *H et G.*

---

a) Ce v. est embarrassé, il semble que l'une des traditions primitives
faisait arrêter l'arche au bord du fleuve, et l'autre au milieu, mais la suite
du texte les a harmonisées.

b) Le pluriel semble introduire une section un peu longue, G donne
le singulier qui est donc préférable.

c) Expression fréquente dans les textes historiques et prophétiques
(1 S **17** 26 s; 2 R **19** 4, 16 et parallèles; Os **2** 1; Jr **10** 10; **23** 36), rare dans
les textes législatifs, Dt **5** 26 seulement.

d) La liste des sept peuples est une parenthèse d'après Dt **1** 7. On trouve
plus souvent une liste de six noms, les mêmes sans les Girgashites, Ex **3** 8,
17; **23** 23; **33** 2; **34** 11; Dt **20** 17; Jg **3** 5, et Jos **9** 1; **11** 3; **12** 8; ces peuples étaient considérés en général comme cananéens, Gn **10** 15-18.
Les Cananéens sont les plus anciens habitants du « pays de Canaan »,
Palestine et Liban d'aujourd'hui. Les Septante traduisent souvent par
« Phéniciens », nom sous lequel ils sont mieux connus.
Les Amorites (ou Amorrhéens), en akkadien Amurru, sont connus
au IIᵉ millénaire sur le Moyen-Euphrate où ils se sédentarisent et fondent
le royaume de Mari et la première dynastie de Babylone (Hammurabbi).
Les documents égyptiens du xvᵉ s. les signalent en Syrie moyenne, et
montrent leur poussée vers le sud, mais comme ces documents ignorent
en pratique les parties montagneuses de la Palestine, il est possible que
leur entrée soit plus ancienne.
Les Hittites sont un peuple d'Anatolie, connu aux xivᵉ et xiiiᵉ s. Ils
ont fondé en Syrie moyenne une civilisation, dite « hiéroglyphique », qui
a duré pense-t-on jusqu'au xᵉ s., mais dont on n'a trouvé aucune trace en
Palestine. Les Israélites les connaissaient comme un peuple non sémitique
et ont donné leur nom à d'autres peuples non sémitiques de Palestine
(cf. **15** 14).
Les Hivvites sont inconnus en dehors de nos listes. On y rangeait les
gens de Gabaon et de Sichem (Jos **9** 7; Gn **34** 2), mais les mêmes passent
ailleurs pour Amorites (2 S **21** 2; Gn **48** 22); dans les deux cas, le grec
Χορραῖος fait penser aux Hourrites de la littérature babylonienne, peuple

Seigneur de toute la terre[a], va traverser devant vous le Jourdain. [12] Dès maintenant, choisissez douze hommes parmi les tribus d'Israël, un homme par tribu. [13] Aussitôt que les prêtres portant l'arche de Yahvé, Seigneur de toute la terre, auront posé la plante de leurs pieds dans les eaux du Jourdain, les eaux du Jourdain seront coupées[b], celles qui descendent d'amont, et elles s'arrêteront comme en une seule masse[c]. »

Le passage du fleuve.

[14] Quand le peuple, en effet, leva le camp pour passer le Jourdain, les prêtres portaient l'arche d'alliance en tête du peuple. [15] Dès que les porteurs de l'arche furent arrivés au Jourdain et que les pieds de ces prêtres touchèrent les eaux (or le Jourdain coule à pleins bords pendant toute la durée de la moisson[d]), [16] les eaux d'amont s'arrêtèrent et formèrent un seul monceau sur une grande distance, — loin jusqu'à la limite de

---

16. « *loin jusqu'à la limite de Çartân* » *mᵉ'od 'ad qᵉṣéh ṣartân* GᴬA *et* Gᴮ *sauf le dernier mot* (καριαθιαριμ) ; « *à (ou depuis) Adâm, la ville qui est à côté de Çartân* » *bᵉâdâm (Ket; mé-âdâm Qer) hâ-'îr aⁱᵉr miṣṣad ṣartân H, se relie mal au contexte et doit résulter d'un arrangement sur un texte corrompu ; Çartân est connu par d'autres textes.*

---

non sémitique venu du Kurdistan et de l'Arménie, dont la présence en Syrie et en Palestine est assurée par les documents égyptiens.

Les Perizzites sont, d'après l'étymologie, les habitants des villages ouverts.

Les Jébuséens sont les habitants de Jérusalem, inconnus ailleurs, 2 S **5** 6.

Les Girgashites sont inconnus en dehors des listes.

a) « Seigneur de toute la terre » : expression rare et plutôt tardive, Mi **4** 13; Za **4** 14; **6** 5; Ps **97** 5, à portée universaliste, introduite ici pour réagir contre la tendance au particularisme territorial (1 S **26** 19; Dt **32** 9).

b) « Seront coupées » : même idée Ex **14** 21.

c) « Une seule masse » : même mot Ex **15** 8 (trad. « digue ») et plus loin **3** 16 (« monceau »).

d) G précise « des orges ». Dans la basse vallée du Jourdain, elle a lieu « au premier mois », **4** 19, dès mars-avril, et à ce moment la fonte des neiges de l'Hermon entretient le fleuve après les pluies d'hiver, il y a parfois de vraies inondations.

Çartân, — tandis que les eaux descendant vers la mer de
la Araba, ou mer Salée, achevaient de s'écouler*a*; le peuple
traversa vis-à-vis de Jéricho. ¹⁷ Les prêtres qui portaient
l'arche de l'alliance de Yahvé se tinrent au sec, immobiles,
au milieu du Jourdain, et tout Israël passait à sec*b*, jusqu'à
ce que la totalité de la nation eût achevé de traverser le
fleuve.

**Les douze pierres
commémoratives.**

4. ¹ Lorsque toute la nation eut achevé de passer le
Jourdain, Yahvé parla ainsi
à Josué : ² « Choisissez-vous*c*
douze hommes parmi le peuple — un homme par tribu —
³ et donnez-leur cet ordre : ' Enlevez d'ici, du milieu du
Jourdain, douze pierres que vous emporterez avec vous
et déposerez au bivouac où vous passerez la nuit '. »
⁴ Josué appela les douze hommes qu'il avait fait désigner
parmi les Israélites, un homme par tribu, ⁵ et leur dit :
« Passez devant l'arche de Yahvé votre Dieu, jusqu'au
milieu du Jourdain, et que chacun de vous prenne sur son
épaule une pierre, suivant le nombre des tribus israélites,
⁶ pour en faire un mémorial au milieu de vous, car un
jour vos enfants vous demanderont : ' Ces pierres, que
sont-elles pour vous ? ' ⁷ Alors vous leur direz*d* : ' C'est
que les eaux du Jourdain se sont séparées devant l'arche
de l'alliance de Yahvé lorsqu'elle traversa le Jourdain.

= 4 21-24

---

4 3. « *du Jourdain* » G ; H *ajoute ici* « *de l'endroit où se sont immobilisés les
pieds des prêtres* » *d'après le v.* 9 *qui appartient à l'autre récit.*

5. *Après* « *leur dit* », H *ajoute* « *Josué* »; *omis par* G.

7. *Après* « *traversa le Jourdain* », H *ajoute par dittographie* « *les eaux du
Jourdain se sont séparées* » (*ou* « *disparurent* » *cf.* 3 16); *omis par* G.

a) « S'écouler » même mot que « être coupé » du v. 13, dans un sens plus
étendu mais usuel.

b) Même mot Ex **14** 21 et 2 R **2** 8.

c) Cf. **3** 12.

d) Cf. Dt **6** 20-21; Ex **12** 27; **13** 14. De même v. 22.

Ces pierres en sont pour les Israélites un souvenir éter-
nel '. » [8] Les Israélites exécutèrent les ordres de Josué :
ayant enlevé douze pierres du milieu du Jourdain selon
le nombre des tribus israélites, suivant l'ordre de Yahvé
à Josué, ils les transportèrent au bivouac et les y déposèrent. [9] Puis Josué érigea douze pierres au milieu du
Jourdain à l'endroit où s'étaient posés les pieds des prêtres
porteurs de l'arche d'alliance, et on les trouve encore là
aujourd'hui.

Fin du passage.

[10] Les prêtres porteurs de
l'arche d'alliance se tenaient
debout au milieu du Jour-
dain jusqu'à l'accomplissement de tout ce que Yahvé
avait enjoint à Josué de dire au peuple, selon tout ce que
Moïse avait ordonné à Josué; et le peuple se hâta de traverser. [11] Lorsqu'il eut entièrement passé, alors l'arche de
Yahvé traversa, les prêtres étant à la tête du peuple. [12a] Les
Rubénites, les Gadites et la demi-tribu de Manassé passèrent en armes à la tête des Israélites, comme Moïse le
leur avait dit. [13] Au nombre d'environ quarante mille
guerriers en armes, ils passèrent prêts au combat, devant
Yahvé, vers la plaine de Jéricho. [14] En ce jour-là, Yahvé
grandit Josué aux yeux de tout Israël, qui l'honora comme
il avait honoré Moïse sa vie durant[b].

[15] Yahvé dit à Josué : [16] « Donne aux prêtres qui portent
l'arche du Témoignage[c] l'ordre de remonter du Jourdain. »
[17] Et Josué commanda aux prêtres : « Remontez du Jour-

---

a) Les vv. 12 et 13 renvoient à **1** 12 s.

b) Dans l'un des anciens récits, ce v. faisait la conclusion à l'opposé de
3 7.

c) « Témoignage » : expression rare et limitée à un contexte cultuel très
particulier, Ex **25** 22 ; **31** 7 ; Nb **4** 5. Les grands manuscrits G ont « l'alliance
du témoignage », d'autres versions « l'alliance », peut-être primitif, *'édût*
pour *berît*.

dain ! » ¹⁸ Or, lorsque les prêtres porteurs de l'arche de
l'alliance de Yahvé remontèrent du Jourdain, à peine la
plante de leurs pieds eut-elle touché la rive que les eaux
du Jourdain revinrent dans leur lit et se mirent comme
auparavant à couler à pleins bords.

Arrivée à Gilgal. ¹⁹ Ce fut le dix du premier
mois que le peuple remonta
du Jourdain et fixa son camp
à Gilgal, à la limite est de Jéricho. ²⁰ Quant aux douze
pierres qu'on avait prises dans le Jourdain, Josué les érigea
à Gilgal. ²¹ Il dit ensuite aux Israélites : « Quand vos
enfants demanderont un jour à leurs pères : ' Que signifient   = 4 6-7
ces pierres ? ' ²² vous leur donnerez alors cette explication : ' C'est à pied sec^a qu'Israël a traversé le Jourdain
que voilà, ²³ parce que Yahvé votre Dieu assécha devant
vous les eaux du Jourdain jusqu'à ce que vous eussiez
passé, comme Yahvé votre Dieu l'avait fait pour la mer
des Roseaux, qu'il assécha devant nous jusqu'à ce que
nous l'eussions traversée, ²⁴ afin que tous les peuples de
la terre reconnaissent combien est puissante la main de
Yahvé, afin que vous-mêmes ayez toujours la crainte de
Yahvé votre Dieu '^{b}. »

**Terreur des populations
à l'ouest du Jourdain^c.** 5.   ¹ Lorsque tous les rois
des Amorites qui habitaient
la région à l'occident du
Jourdain et tous les rois des
Cananéens qui étaient dans la région de la mer apprirent
que Yahvé avait mis à sec les eaux du Jourdain devant

---

18. « *remontèrent du Jourdain* » G ; H ajoute : « *du milieu du Jourdain* ». —
« *leurs pieds* » G ; H *répète* « *des prêtres* ».

---

a) Cf. Ex **14** 22, 29; **15** 19, mêmes termes.
b) Cf. Ex **14** 31; **15** 6, 15.
c) Note deutéronomique développant **4** 24.

les Israélites, jusqu'à ce qu'ils eussent passé, le cœur leur
manqua et l'approche des Israélites leur coupa le souffle.

**La circoncision
des Hébreux à Gilgal.**

² En ce temps-là Yahvé dit
à Josué : « Fais-toi des couteaux de silex*a* et circoncis
de nouveau les Israélites. »
³ Josué se fit des couteaux de silex et circoncit les Israélites
sur le Tertre des Prépuces.

⁴ Voici la raison*b* pour laquelle Josué fit cette circoncision. Toute la population mâle sortie d'Égypte en âge de
porter les armes, était morte dans le désert, en chemin,
après leur sortie d'Égypte. ⁵ Or toute cette population émi-
grée avait subi la circoncision; mais tout le peuple né dans
le désert, pendant le voyage, après leur sortie d'Égypte,
on ne l'avait point circoncis, ⁶ car, pendant quarante ans,
les Israélites marchèrent dans le désert, jusqu'à ce que
toute la nation eût péri, à savoir les hommes sortis
d'Égypte en âge de porter les armes; ils n'avaient pas
obéi à la voix de Yahvé, et Yahvé leur avait juré de ne
pas les laisser voir le pays qu'il avait juré à leurs pères de

---

5 1. « *eussent passé* » 'ab⁽e⁾râm *G, plusieurs Mss, et Qer ;* « *nous eussions passé* »
'âbarnû *Ket.*

2. *Après* « *de nouveau* », *H ajoute* « *une seconde fois* » šûb ... šénît; *G n'a lu
que le premier mot sous la forme* šéb « *assieds-toi* ».

---

a) Cette précision ne se trouve pas ailleurs que dans Ex **4** 24-26; il doit
s'agir d'un rite archaïque conservé localement à Gilgal. Au récit est jointe
une explication du nom du « Tertre des Prépuces », et, plus loin, un jeu
de mots sur celui de Gilgal : « j'ai ôté », *gallôti.*

b) Les vv. 4-8 sont assez différents dans le G. L'explication qu'ils donnent
est manifestement artificielle : elle suppose qu'on n'ait pas eu un seul jour
de repos pendant les 40 ans de marche au désert. Elle dépend étroitement
de Nb **14** 26-38, cf. **14** 30 et ici 6ᵇ : « Yahvé leur avait juré... » Cette façon
de voir fait des années d'errance au désert un temps de dure pénitence et de
quasi-rupture de l'Alliance, dont la circoncision est la marque, cf. Gn **17** 10.

nous donner, pays où coulent le lait et le miel[a]. 7 Quant
à leurs fils, il les établit à leur place et ce sont eux que
Josué circoncit : car ils étaient incirconcis, du fait qu'on
n'avait pu les circoncire au cours du voyage. 8 Lorsqu'on
eut achevé de circoncire toute la nation, ils demeurèrent
au repos dans le camp jusqu'à leur guérison; 9 et Yahvé
dit à Josué : « Aujourd'hui j'ai ôté de dessus vous le
déshonneur de l'Égypte[b] ! » Aussi a-t-on appelé ce lieu
du nom de Gilgal jusqu'aujourd'hui.

**La célébration
de la Pâque.**

10 Les Israélites campèrent
à Gilgal et y célébrèrent la
Pâque le quatorzième jour
du mois[c], le soir, dans la
plaine de Jéricho. 11 Ils mangèrent du produit du pays le
lendemain de la Pâque, en pains sans levain et en épis
grillés, ce même jour. 12 La manne cessa dès lors de tom-
ber, du moment qu'ils mangeaient du produit du pays.
Les Israélites n'ayant plus de manne se nourrirent dès
cette année des produits de la terre de Canaan.

---

8. « *demeurèrent au repos* » G *qui interprète* H « *restèrent sur place* ».

---

a) Expression fréquente dans les textes législatifs, cf. Ex **3** 8, 17; **33** 3;
Dt **11** 9; **26** 9 (celui-ci pré-deutéronomique).

b) Ce déshonneur consiste à n'être pas circoncis, comme l'auteur le
pensait des Égyptiens, cf. Jr **9** 24.

c) Cette indication rattache étroitement 10-12 à **4** 19-24 : on commence
en effet à préparer la Pâque le 10 du premier mois pour la consommer le
14, cf. Ex **12** 2-6, c'est dans le calendrier agricole le « mois des épis » ou
« d'Abib », Ex **13** 4, etc.; Dt **16** 1-4, début de la moisson, cf. plus haut **3** 15.
Les épis grillés sont un aliment azyme mais ne sont pas mentionnés ailleurs
à propos du rite pascal. On notera qu'aucun des textes législatifs ne fait
allusion au passage du Jourdain. L'introduction des vv. 2-9 s'explique
par Ex **12** 44-48 : aucun incirconcis ne peut célébrer la Pâque. Suivant
une partie de la tradition, la manne est une nourriture inférieure, Nb **11**
6-8; Dt **8** 3; le v. 12 montre donc la même tendance que les vv. 4-7.

III. La conquête de Jéricho

Prélude : Théophanie[a].
¹³ Josué, se trouvant près de Jéricho, leva les yeux et vit un homme qui se tenait debout devant lui, une épée nue à la main. Josué s'avança vers lui et lui dit : « Es-tu des nôtres ou de nos ennemis ? » — ¹⁴ « Non, répondit-il, je suis le chef de l'armée de Yahvé, et maintenant je viens...[b] » Josué, tombant la face contre terre, l'adora et dit : « Quels sont les ordres de mon Seigneur à son serviteur ? » ¹⁵ Le chef de l'armée de Yahvé répondit à Josué : « Ote tes sandales de tes pieds, car le lieu sur lequel tu te trouves est saint. » Et Josué s'exécuta.

Prise de Jéricho[c].
6. ¹ Or Jéricho s'était soigneusement barricadée (contre les Israélites) : per-

---

a) Cette introduction solennelle à la prise de Jéricho est faite à la manière des anciens récits rapportant la vocation d'un héros, Jg **6** 11-24; **13** 3-23, ou d'autres interventions divines, Gn **18**. Le discours de l'ange est interrompu, il devait se prolonger par les ordres de Yahvé, et des explications sur la personne de Josué et le sens religieux de l'œuvre à entreprendre. La personnalité de l'ange est plus nettement posée que dans les anciens récits, et la conception d'une « armée du ciel » entourant le trône de Dieu se retrouve dans des récits du temps des rois, 1 R **22** 19; 2 R **6** 17. Le titre de « chef de l'armée » *Sar-ṣâbâ'* suppose l'institution royale, Gn **21** 22; Jg **4** 2; 1 S **14** 50, etc.; 1 R **1** 19, etc. Sur l'idée de Yahvé roi, cf. Jg **8** 23; 1 S **8** 7; **12** 12, et Ps. Le v. 15 vise à rapprocher Josué de Moïse, Ex **3** 5; en outre il désigne un lieu d'une sainteté exceptionnelle, probablement Gilgal, Jg **2** 1; on a pu vouloir en effacer le nom quand ce sanctuaire fut déshonoré par les cultes syncrétistes, Os **4** 15 s; Am **4** 4, etc.

b) « Je viens ». Ce n'est pas la formule ordinaire : *hinnéni,* mais *'attâh bâ'tî,* qui appelle une suite, cf. 2 S **14** 15.

c) Le cri de guerre est poussé au moment du défi ou de l'assaut, 1 S **17** 20, 52, toujours collectif, et souvent associé au beuglement des trompes, Am **2** 2 et nombreux textes poétiques. Il fait aussi partie du rituel ancien des processions de l'arche, associé normalement à la trompe, bien qu'elle ne soit pas toujours nommée, 1 S **4** 5; 2 S **6** 15 (acclamation); on le pousse aussi dans d'autres cérémonies religieuses, Lv **23** 24; Nb **29** 1; Esd **3** 11,

sonne n'en sortait, personne n'y entrait. ² Yahvé dit alors
à Josué : « Vois, je livre en tes mains Jéricho et son roi.
Vous tous les combattants, ³ vaillants guerriers, vous
contournerez la ville (pour en faire une fois le tour, et
pendant six jours tu feras de même. ⁴ Mais sept prêtres
porteront sept trompes en avant de l'arche. Le septième
jour, vous ferez sept fois le tour de la ville et les prêtres
sonneront de la trompe). ⁵ Lorsque la corne de bélier
retentira* (quand vous entendrez le son de la trompe),
tout le peuple poussera un formidable cri de guerre et le
mur de la ville s'effondrera sur place : alors le peuple
montera à l'assaut, chacun droit devant soi. »

⁶ Josué, fils de Nûn, appela les prêtres et leur dit : (« Prenez l'arche d'alliance et que sept prêtres portent sept
trompes en corne de bélier en avant de l'arche de Yahvé. »).

---

6 3. « *vaillants guerriers* » conj. d'après **8** 3 (*hommes d'élite*); *ces deux mots
sont après* « roi » (*v.* 2) *dans le texte.*

---

13. La trompe en corne de bélier est d'abord un instrument guerrier, elle
sert à épouvanter l'ennemi, Jg **7** 8-20, ou à diriger les mouvements,
2 S **2** 28; **18** 16; **20** 22; Ne **4** 12-14. On l'emploie aussi dans certaines cérémonies religieuses, associée au cri, 2 Ch **15** 14; Lv **25** 9. Dans notre récit,
le peuple retient son cri pendant six jours pour lui donner, le septième,
une force surhumaine. Dans les cérémonies religieuses, il revient aux
prêtres de sonner de la trompe, mais leur instrument propre est la trom-
pette, dont ils se servent aussi à la guerre, et dont les appels sont encore
suivis du cri, Nb **10** 9; 2 Ch **13** 14, 15. Ici le grec mentionne toujours les
trompettes selon l'usage proprement sacerdotal, tandis que l'hébreu, avec
les cornes de bélier, se rapproche de l'antique rituel de l'arche.
    Ce récit, basé sur la semaine, est à mettre en rapport avec la Semaine
des Azymes, Ex **12** 18; commencée à Gilgal, **5** 10, elle se termine avec
l'effondrement de la ville ennemie.
    Le texte grec est nettement plus court que l'hébreu, et un peu différent
dans les parties communes. Les additions de l'hébreu ont été mises entre
parenthèses, on verra qu'elles s'expliquent par le procédé du style « sacerdotal » qui consiste à donner dans les termes les plus voisins l'énoncé d'un
ordre et le récit de son exécution, de là vient la lourdeur de ce texte.
    a) « Retentira », *bimešok*, seul emploi dans ce texte, cf. Ex **19** 13.

[7] Il dit au peuple : « Passez et faites le tour de la ville et que l'avant-garde passe sur le front de l'arche de Yahvé. » [8] (Il fut fait selon l'ordre donné par Josué au peuple[a].) Sept prêtres portant les sept trompes en corne de bélier devant Yahvé passèrent et sonnèrent de la trompe; l'arche de l'alliance de Yahvé venant après eux, [9] l'avant-garde précédant les prêtres (qui sonnaient de la trompe) et l'arrière-garde venant après l'arche : et l'on allait et l'on sonnait de la trompe.

[10] Au peuple, Josué avait donné l'ordre suivant : « Ne criez pas et ne faites pas entendre votre voix (qu'il ne sorte aucun mot de votre bouche), jusqu'au jour où je vous dirai : ' Poussez le cri de guerre ! ' Alors vous crierez. »

[11] Josué fit faire à l'arche de Yahvé le tour de la ville (en la contournant une fois); puis on rentra au camp où l'on passa la nuit. [12] Josué se leva de bon matin et les prêtres prirent l'arche de Yahvé. [13] Munis des sept trompes en corne de bélier, les sept prêtres marchant devant l'arche de Yahvé sonnaient de leurs instruments pendant la marche, tandis que l'avant-garde allait devant eux, et l'arrière-garde à la suite de l'arche de Yahvé, et que l'on défilait au son de la trompe.

[14] On fit le tour de la ville (le second jour, une fois) et l'on rentra au camp, ce que l'on fit ensuite pendant six jours. [15] Le septième jour, s'étant levés dès l'aurore, ils firent le tour de la ville (selon le même rite) sept fois. (C'est seulement ce jour-là qu'on fit sept fois le tour de la

---

7. « *Il dit* » *Qer, plusieurs Mss, Vers.*; *Ket* « *ils dirent* » *est moins éloigné de G* « *dites* ».

9. « *qui sonnaient* » *toq[e]ê Qer Vers.* ; « *ils sonnaient* » *taq[e]û Ket.*

---

a) Cette parenthèse coupe la suite des verbes : « Passez,... que l'avant-garde passe, ... passèrent, ... sonnèrent, ... précédant »; G les rend par une suite d'impératifs, preuve que c'est lui qui est primitif.

ville.) ¹⁶ La septième fois, les prêtres sonnèrent de la trompe et Josué dit au peuple : « Poussez le cri de guerre ! car Yahvé vous a livré la ville. »

Jéricho vouée à l'anathème[a]. ¹⁷ « La ville sera dévouée par anathème à Yahvé avec tout ce qui s'y trouve; seule, Rahab la prostituée aura la vie sauve ainsi que tous ceux qui sont avec elle dans sa maison, parce qu'elle a caché les émissaires que nous avions envoyés. ¹⁸ Mais vous, prenez bien garde à l'anathème : de peur que, poussés par la convoitise, vous ne dérobiez quelque chose de ce qui est anathème, car ce serait exposer à l'anathème tout le camp d'Israël et lui porter malheur. ¹⁹ Tout l'argent et tout l'or, tous les objets de bronze et de fer étant consacrés à Yahvé, ils entreront dans son trésor. »

²⁰ Le peuple cria et l'on fit retentir les trompes. Quand il entendit le son de la trompe, le peuple poussa un cri de guerre formidable et le rempart s'écroula sur lui-même.

---

18. « *poussés par la convoitise* » taḥme͏̄dû *G appuyé par* **7** 21 *et Dt* **7** 25; « *vous deveniez anathèmes* » taḥărîmû *H*.

---

a) Les vv. 17-19 coupent l'enchaînement 16-20, ils ont été insérés pour préparer 22-25, fin de l'histoire de Rahab. Le v. 18, à rapprocher de Dt **7** 25-26, prépare de loin le ch. **7**.

L'anathème est la destruction totale de l'ennemi, corps et biens, en l'honneur du dieu national. Il était pratiqué par d'autres peuples que les Israélites, entre autres les Moabites, d'après l'inscription de leur roi Mésha. Il pouvait être le résultat d'un vœu, Nb **21** 2, ou de l'ordre d'un prophète, 1 S **15** 3, ou d'une loi, Dt **7** 2. Il pouvait être absolu, Dt **20** 16-18; **13** 16-19; 1 S **15** 7-23; ou limité : hommes et femmes adultes, Nb **31** 1-24, hommes seulement, Dt **20** 14, tous les êtres humains, Dt **2** 34-35; **3** 6, 7. Ces mœurs collectives n'entraînent pas l'approbation de la vengeance privée : Pr **25** 21-22; 1 S **24**; **26**. On reconnaîtra plus tard à Dieu seul le droit et le pouvoir de la vengeance, même en matière collective, Dt **32** 35 s, et Ap *passim*. Cependant se dessinait une autre conception qui aimait à montrer la miséricorde universelle de Dieu, Sg **1** 13; **12** 15-26, et qui recevra dans l'Évangile son expression suprême, Mt **5** 44-45.

Aussitôt le peuple monta dans la ville, chacun devant soi, et ils s'en emparèrent. 21 Ils appliquèrent l'anathème à tout ce qui se trouvait dans la ville, hommes et femmes, jeunes et vieux, jusqu'aux bœufs, aux brebis et aux ânes, les passant au fil de l'épée[a].

La maison de Rahab préservée.

22 Josué dit aux deux hommes qui avaient reconnu le pays : « Entrez dans la maison de la prostituée et faites-en sortir cette femme avec tous ceux qui lui appartiennent, ainsi que vous lui avez juré. » 23 Ces jeunes gens, les espions, s'y rendirent et en firent sortir Rahab, son père, sa mère, ses frères et tous ceux qui lui appartenaient. Ils en firent sortir aussi tous ceux de son clan et les mirent en lieu sûr hors du camp d'Israël[b].

24 On brûla la ville et tout ce qu'elle contenait, sauf l'argent, l'or[c] et les objets de bronze et de fer, qu'on livra au trésor de la maison de Yahvé[d]. 25 Mais Rahab, la prostituée, ainsi que la maison de son père et tous ceux qui lui appartenaient, Josué les épargna. Elle est demeurée au milieu d'Israël jusqu'aujourd'hui; pour avoir caché les émissaires que Josué avait envoyé reconnaître Jéricho.

Malédiction à qui relèvera Jéricho.

26 En ce temps-là Josué fit prononcer ce serment devant Yahvé :

23. « son clan » G ; « ses clans » H.
26. « devant Yahvé » G ; H met ces mots après « l'homme » où ils rompent le rythme. — Après « cette ville », H ajoute « Jéricho »; omis par G.

a) L'expression littérale est plus énergique : « à la gueule de l'épée », cf. 2 S 2 26.
b) Souci de pureté rituelle.
c) Cf. Nb 31 21.
d) « Trésor de la maison de Yahvé » : expression empruntée à l'administration du Temple, 1 R 14 26, etc.

> Maudit soit l'homme qui se présentera
> pour rebâtir cette ville !
> Il la fondera sur son aîné
> et en posera les portes sur son cadet[a] !

[27] Yahvé fut avec Josué, dont la renommée se répandit dans toute la contrée[b].

Violation de l'anathème.

7. [1] Mais les Israélites se rendirent coupables[c] d'une violation de l'anathème : Akân[d], fils de Karmi, fils de Zabdi, fils de Zérah, de la tribu de Juda, prit de ce qui tombait sous l'anathème, et la colère de Yahvé s'enflamma contre les Israélites.

Échec devant Aï, sanction du sacrilège[e].

[2] Or Josué envoya de Jéricho vers Aï, qui est à l'orient de Béthel, des hommes avec cette consigne : « Montez

---

7 2. *Après « Aï, qui est », H insère « près de Bet-Avèn », cf.* **18** 12.

---

a) Cf. 1 R **16** 34.

b) Cf. **1** 5 ; **3** 7.

c) « Se rendirent coupables » *yim^{e}'ălû ma'al,* expression fréquente chez Ézéchiel, **14** 13, etc., les textes sacerdotaux, Lv **5** 15, etc. ; Nb **5** 6, et aussi Dt **32** 51.

d) G^{B} dit « Akar », ici et dans toute la suite, y compris **22** 20 ; il est appuyé par 1 Ch **2** 7 qui fait le jeu de mots *'Akâr 'okér :* « Akar qui fit le malheur ».

e) Le récit de la prise de Aï, vv. 2-5, puis **8** 1-29, est analogue, par sa richesse en péripéties et en détails topographiques, à Jg **20** 14-48. Mais dans le cas présent, le site, dont la détermination ne laisse pas de doute, était abandonné depuis plusieurs siècles à l'époque de Josué. Il faut donc admettre que le récit de sa ruine est une légende explicative locale. Mais le récit de l'exécution d'Akân, vv. 16-26, ne peut pas exister sans la mention un peu précise du malheur d'Israël, v. 25. On peut donc faire l'hypothèse qu'il y ait eu aux environs de Aï un combat en rase campagne où les Israélites auraient été repoussés. Le ch. **8** serait un développement populaire sur la base de ce souvenir, et il aurait réagi ensuite sur **7** 4-5. L'histoire

reconnaître le pays. » Les hommes montèrent reconnaître
Aï. ³ De retour auprès de Josué, ils lui dirent : « Il est inu-
tile que tout le peuple y monte; que deux ou trois mille
hommes environ partent attaquer Aï. N'y fatigue pas tout
le peuple, car ces gens-là ne sont pas nombreux. »

⁴ Trois mille hommes environ des gens du peuple montèrent à Aï, mais ils lâchèrent pied devant ses habitants.
⁵ Ceux-ci leur tuèrent à peu près trente-six hommes et les
rejetèrent en avant de la porte jusqu'à Shebarim : c'est à
la descente qu'ils les écrasèrent. Alors le peuple perdit
cœur et son courage fondit.

⁶ Josué déchira ses vête-
Prière de Josuéᵃ.   ments, se prosterna face con-
                              tre terre devant l'arche de
Yahvé jusqu'au soir, ainsi que les anciens d'Israël, et tous
répandirent de la poussièreᵇ sur leur tête. ⁷ Josué disait
alors : « Hélas, Seigneur Yahvé, pourquoi as-tu fait passer
le Jourdain à ce peuple, si c'est pour nous livrer au pouvoir de l'Amorite et nous faire périr ? Ah ! si nous avions
pu nous établir au delà du Jourdain ! ⁸ Pardonᶜ, Seigneur !

---

7. « *as-tu fait passer* » G ; H *redouble le verbe* héʿăbartâ haʿăbîr « *as-tu
tenu à faire passer* ».

---

d'Akân peut avoir été conservée à Gilgal qui est dans une position centrale entre Aï et la Vallée d'Akor, la situation de cette dernière étant déter-
minée d'après **15** 7.

a) La prière de Josué rappelle celle de Moïse en des circonstances analogues, Ex **32** 11; Nb **14** 13-16; Dt **9** 26, mais avec de notables différences
de mots et d'idées. Noter l'expression « mon Seigneur Yahvé » fréquente
chez les prophètes (211 fois dans Ez) et le Dt (**3** 24; **9** 26; et 2 S **7** 18-29;
1 R **8** 53). La mention du nom, ou du grand nom de Yahvé, et le souci de
son honneur : Is **48** 9; Jr **10** 6; **14** 7, 21; Ez **20** 14 résumé de Ex **32**;
1 S **12** 22; 1 R **8** 42. Tandis que Yahvé offre à Moïse de lui donner un autre
peuple et que celui-ci refuse et intercède, ici c'est Josué qui cède au découragement et Yahvé qui le réconforte, cf. 1 R **19** 4; Jr **15** 10, 18; **20** 7, 14-16.

b) Geste du deuil, Lm **2** 10; Ez **27** 30, etc.

c) Ce n'est pas l'aveu d'un péché personnel, mais l'excuse d'un inférieur
qui insiste, cf. Ex **4** 10; Jg **6** 13, 15; **13** 8; et, avec un roi, 2 S **14** 9, etc.

Que dirai-je maintenant qu'Israël a tourné le dos devant
ses ennemis ? ⁹ Les Cananéens l'apprendront, ainsi que
tous les habitants du pays : ils se coaliseront contre nous
pour effacer notre nom de la terre. Alors, que feras-tu
pour ton grand nom ? »

Réponse de Yahvé.
¹⁰ Yahvé répondit à Josué : « Relève-toi[a] ! Pourquoi rester ainsi prosterné ?
¹¹ Israël a péché, il a violé l'alliance que je lui avais imposée.
Oui ! on a pris de ce qui était anathème, on l'a dérobé, on
l'a dissimulé et on l'a mis dans ses bagages. ¹² Et les Israélites ne pourront pas tenir devant leurs adversaires, ils
tourneront le dos devant leurs ennemis parce qu'ils sont
devenus anathèmes. Je ne serai plus avec vous, si vous ne
faites disparaître du milieu de vous l'objet de l'anathème.

¹³ « Lève-toi ! Convoque le peuple et tu diras : Sanctifiez-vous pour demain, car ainsi parle Yahvé[b], le Dieu
d'Israël : L'anathème est dans ton sein, Israël; tu ne pourras pas tenir devant tes ennemis, jusqu'à ce que vous ayez
extirpé l'anathème du milieu de vous. ¹⁴ Vous vous présenterez donc, demain matin, par tribus, et alors la tribu
que Yahvé aura désignée par le sort se présentera par clans,
et le clan que Yahvé aura désigné par le sort se présentera
par familles, et la famille que Yahvé aura désignée par le
sort se présentera homme par homme[c]. ¹⁵ Enfin l'individu

---

11. « *violé... pris... dérobé... dissimulé... mis* »; *H souligne chaque péché de*
wᵉgam « *et encore* »; *G plus court.*

---

a) Cf. Ez **2** 1, etc.
b) Style prophétique, 1 R **11** 31; **13** 2, etc., et prophètes écrivains.
c) « Homme par homme », *laggᵉbârim,* il s'agit des hommes opposés
aux femmes et enfants. Noter l'articulation de la société nomade, c'est
encore celle de nos jours : tribus patriarcales, clans ou fractions, c'est-à-dire
groupes de familles ayant l'habitude de voyager ensemble, familles rattachées à un même aïeul, foyers individuels.

pris avec l'objet interdit sera livré au feu, lui et tout ce qui lui appartient, pour avoir rompu l'alliance avec Yahvé et commis une infamie*a* en Israël. »

Découverte et châtiment du coupable *b*.

[16] Josué se leva de bon matin; il fit avancer Israël par tribus et c'est la tribu de Juda qui se trouva désignée par le sort. [17] Il fit approcher les clans de Juda, et le clan de Zérah se trouva désigné par le sort. Il fit approcher le clan de Zérah par familles, et Zabdi fut désigné. [18] Josué fit enfin avancer la famille de Zabdi, homme par homme, et ce fut Akân, fils de Karmi, fils de Zabdi, fils de Zérah, de la tribu de Juda, qui fut pris par le sort.

[19] Josué dit alors à Akân : « Mon fils, donne gloire à Yahvé, Dieu d'Israël, et rends-lui hommage; déclare-moi ce que tu as fait et ne me cache rien. » [20] Akân répondit à Josué : « En vérité, c'est moi qui ai péché contre Yahvé, Dieu d'Israël, et voici ce que j'ai fait. [21] Ayant vu dans le butin un beau manteau de Shinéar*c* et deux cents sicles d'argent, et aussi un lingot d'or du poids de cinquante sicles, je les ai convoités*d* et je les ai pris. Ils sont cachés dans la terre au milieu de ma tente et l'argent par-dessous. »

---

17. « *les clans* » G ; « *le clan* » H. — « *par familles* » *certains Mss hébr. Vers.*; « *homme par homme* » *texte courant ; G plus court.*

a) « Infamie », n*e*bâlah : litt. « folie, stupidité », 1 S **25** 25, euphémisme fréquent pour les fautes d'inconduite, Gn **34** 7; Dt **22** 21; 2 S **13** 12, etc.

b) Sur l'enquête par le sort, cf. 1 S **10** 20, 21; **14** 40-42. La malédiction jetée sur l'anathème s'étend sur quiconque s'en empare, et de là sur le peuple tout entier jusqu'à l'élimination du coupable et de ceux qui lui touchent de plus près.

c) Dans l'ensemble des documents antiques, ce nom désigne une région de Haute-Mésopotamie, il se conserve aujourd'hui au Djebel Sindjar. Dans la Bible, il est ordinairement transféré sur les environs de Babylone, Gn **10** 10; **11** 2; Dn **1** 2. C'est aussi le sens ici, Babylone étant célèbre pour son luxe.

d) Cf. plus haut **6** 18.

²² Josué envoya des messagers qui coururent vers la tente, et en effet le manteau était caché dans la tente et l'argent par-dessous. ²³ Ils prirent le tout du milieu de la tente et l'apportèrent à Josué et aux anciens d'Israël pour l'étaler*ᵃ* devant Yahvé.

²⁴ Alors Josué prit Akân, fils de Zérah, avec l'argent, le manteau et le lingot d'or, et le fit monter à la vallée d'Akor — ainsi que ses fils, ses filles, son taureau, son âne, son menu bétail, sa tente et tout ce qui lui appartenait. Tout Israël l'accompagnait.

²⁵ Josué dit : « Pourquoi nous as-tu porté malheur ? Que Yahvé en ce jour t'apporte le malheur ! » et tout Israël le lapida.

²⁶ Ils élevèrent sur lui un grand monceau de pierres*ᵇ* qui existe encore aujourd'hui. Yahvé revint alors de son ardente colère. C'est à cette occasion que l'endroit reçut le nom de vallée d'Akor qu'il porte encore aujourd'hui.

IV. La prise de Aï

Ordre donné à Josué.

8. ¹ Yahvé dit alors à Josué : « Sois sans crainte ni frayeur ! Prends avec toi tous les gens de guerre; debout ! monte contre Aï. Vois,

---

23. « aux anciens » G ; « à tous les fils » H.
25. Après « lapida », H ajoute « et ils les consumèrent par le feu et les lapidèrent »; omis par G.

---

a) « Étaler », *wayyaṣiqum,* ordinairement : « verser, fondre les métaux ». L'emploi de ce verbe s'expliquerait mieux si le manteau du v. 21 était une addition à un premier état du texte; G a lu *wayyaṣigum* « ils déposèrent ».

b) Sépulture d'un criminel, cf. plus loin **8** 29; **10** 27, et pour Absalom 2 S **18** 17. La position écartée de la Vallée d'Akor par rapport à la ligne de Gilgal à Aï convient à la loi de faire les exécutions hors du camp, Lv **24** 14.

je mets en ton pouvoir le roi de Aï, son peuple, sa ville et
son territoire. ² Tu traiteras Aï et son roi comme tu as
traité Jéricho et son roi*a*. En fait de butin, vous vous
contenterez d'enlever les dépouilles et le bétail. Aie soin
d'établir une embuscade contre la ville, par derrière. »

³ Josué se disposa à mar-
Manœuvre de Josué *b*.   cher sur Aï avec tous les
gens de guerre. Choisissant
trente mille hommes d'élite, il les fit partir de nuit ⁴ après
leur avoir donné cet ordre : « Attention ! Vous dresserez
une embuscade contre la ville, mais par derrière, sans
vous éloigner beaucoup de la ville, et tenez-vous tous sur
le qui-vive. ⁵ Moi et tout le peuple qui m'accompagne,
nous nous approcherons de la ville et lorsque les gens de
Aï sortiront à notre rencontre comme la première fois,
nous prendrons la fuite devant eux. ⁶ Ils marcheront alors
sur nos talons, et nous les attirerons ainsi loin de la ville,
car ils se diront : ' Ils fuient devant nous comme la première fois. ' ⁷ C'est alors que vous surgirez de l'embuscade
pour occuper la ville : Yahvé, votre Dieu, la livrera entre
vos mains. ⁸ Une fois la ville prise, vous la livrerez au feu.
Tels sont les ordres que vous exécuterez. Attention !
c'est moi qui vous les ai donnés. »

⁹ Josué les ayant congédiés, ils allèrent au lieu de l'embuscade, se postèrent entre Béthel et Aï, à l'occident de Aï.
Josué passa la nuit au milieu du peuple, ¹⁰ puis le lende-

---

8 5. « *les gens de Aï* » *G ;* « *ils* » *H.*

6. « *la première fois* » *G ; H ajoute par dittographie du v.* 5 : « *et nous fuirons
devant eux* ».

8. « *Tels sont les ordres* » kaddâbâr hazzèh *G ;* « *selon l'ordre de Yahvé* »
kidᵉbar Yahwèh *H.*

---

a) Il y eut donc un récit où était racontée l'exécution de celui-ci, cf. **10** 28.

b) Les vv. 3-9 sont un développement avec discours sur la base du récit
primitif, 10-13.

main, s'étant levé de bon matin, il passa le peuple en revue
et monta sur Aï, marchant en tête du peuple avec les
anciens d'Israël. [11] Tous les gens de guerre qui étaient
avec lui, étant montés, s'approchèrent jusqu'en face de la
ville et campèrent au nord de Aï, la vallée étant entre
la place et Josué. [12] Il prit environ cinq mille hommes[a] et
les mit en embuscade entre Béthel et Aï, à l'ouest de la
ville. [13] Et le peuple dressa l'ensemble du camp, qui était
au nord de la ville, et son embuscade à l'ouest de la ville.
Josué passa cette nuit-là au milieu du peuple.

[14] Dès qu'il vit la situation,

Bataille de Aï. le roi de Aï sortit en hâte
pour offrir le combat à Is-
raël, lui et tout son peuple, sur la pente qui regarde la
Araba, mais sans savoir qu'il y avait une embuscade dressée
contre lui par derrière la ville. [15] Josué et tout Israël se
firent battre par eux et prirent la fuite par le chemin du
désert. [16] Tout le peuple qui se trouvait dans la ville se
mit à leur poursuite à grands cris. En poursuivant Josué,
ils s'écartèrent de la ville. [17] Il ne resta pas un homme
dans Aï qui ne sortît à la poursuite d'Israël, et on le poursuivit si bien qu'on laissa la ville ouverte.

[18] Yahvé dit alors à Josué : « Tends vers Aï le sabre
qui est dans ta main, car c'est dans ta main que je vais la
livrer. » Josué tendit alors vers la ville le sabre[b] qu'il avait

---

13. « *passa la nuit* » wayyalèn *quelques Mss ; « alla »* wayyélèk *texte courant ; G n'a pas ce v.* — « *peuple* » 'am *Syr ; « plaine »* 'émèq *H.*
14. « *sortit en hâte* » G *; « ils se hâtèrent de se mettre en marche pour sortir,
les gens de la ville* » H. — « *pente* » môrâd *conj. d'après* **7** 5 *; mo'éd de H peut
être interprété :* « *en masse* » *mais ce n'est pas attesté ailleurs ; omis par G.*
17. *Après* « *dans Aï* », H *ajoute* « *et dans Béthel* »; *omis par G.*

---

a) Chiffre plus vraisemblable que les 30.000 du v. 3.
b) « Sabre », *kîdôn,* mot difficile dont les versions donnent des traductions variées suivant les endroits; d'après un texte de Qumrân, il s'agit

en main. [19] Dès qu'il eut étendu la main, ceux de l'embuscade, surgissant soudain de leur poste, prirent leur course et, pénétrant dans la ville, ils s'en emparèrent, et se hâtèrent de la livrer au feu.

[20] Les gens de Aï s'étant retournés, voici ce qu'ils virent : une fumée montant de la ville vers le ciel. Nul

Désastre des gens de Aï.

d'entre eux ne se sentit le courage de fuir d'un côté ou de l'autre, tandis que le peuple en fuite vers le désert se retournait contre ceux qui le poursuivaient. [21] Ayant vu que ceux de l'embuscade avaient pris la ville et que la fumée montait de la ville vers le ciel, Josué et tout Israël firent volte-face et attaquèrent les gens de Aï. [22] Les autres sortirent de la ville à leur rencontre, de sorte que les gens de Aï se trouvèrent au milieu des Israélites, ayant ceux-ci d'un côté et ceux-là de l'autre. On les battit jusqu'à ce qu'il ne leur restât plus un survivant ni un fugitif. [23] Mais on prit vivant le roi de Aï et on l'amena à Josué. [24] Quand Israël eut fini de tuer tous les habitants de Aï dans la campagne et dans le désert où ils les poursuivirent, et que tous furent tombés jusqu'au dernier sous le tranchant de l'épée, tout Israël revint à Aï et en passa la population au fil de l'épée. [25] Le total de tous ceux qui tombèrent en ce jour, tant hommes que femmes, fut de douze mille, tous gens de Aï.

[26] Josué ne ramena pas la main qu'il avait étendue avec le sabre, jusqu'à ce qu'il eût

L'anathème et la ruine.

20. « *une fumée... vers le ciel* » G ; « *la fumée de la ville montait vers le ciel* » H *comme au v.* 21.

21. « *vers le ciel* » G ; *omis par* H.

d'une sorte d'épée ou de cimeterre. De même au v. 26. Le geste de Josué n'est pas seulement un signal, il est considéré comme ayant une efficacité propre, cf. Ex **17** 9-11; 1 R **22** 11; 2 R **13** 14-19, et prophètes écrivains.

traité comme anathèmes tous les habitants de Aï. [27] Israël ne prit pour butin que le bétail et les dépouilles[a] de cette ville, selon l'ordre que Yahvé avait donné à Josué.

[28] Enfin, Josué incendia Aï et il en fit pour toujours une ruine[b], un lieu désolé jusqu'aujourd'hui. [29] Il pendit[c] le roi de Aï à un arbre, jusqu'au soir; mais au coucher du soleil, Josué ordonna qu'on descendît de l'arbre son cadavre. On le jeta ensuite à l'entrée de la porte de la ville et on amoncela sur lui un grand tas de pierres, qui existe encore aujourd'hui.

V. Sacrifice et lecture de la Loi
sur le mont Ébal.[d]

L'autel de pierres brutes.

[30] Alors Josué éleva un autel à Yahvé, Dieu d'Israël, sur le mont Ébal, [31] comme Moïse, serviteur de Yahvé,

---

a) Cf. 6 17 sur l'anathème.

b) Hébreu *tél*, même mot et même sens que l'arabe *tell* : colline de forme régulière formée par l'accumulation des débris d'une ville.

c) Ce traitement ignominieux faisait suite à la mise à mort, cf. 10 26-27, et 1 S 31 10; il ne devait pas durer plus d'une journée de peur de souiller le pays, Dt 21 22-23 d'où Jn 19 31, mais cf. 2 S 21 10 s.

d) Les vv. 30-35 rompent l'enchaînement des ch. 8 et 9, cf. 9 3, 6; dans le G ils se trouvent entre 9 2 et 9 3, où ils rompent la suite 1-4. Du point de vue géographique, le passage par Sichem coupe l'unité de la route Gilgal, Aï, Gabaon. Ces vv. sont donc une addition d'un rédacteur deutéronomiste. Ils dépendent évidemment de Dt 27, mais non sans différences : Dt distingue deux cérémonies, l'une au mont Ébal, vv. 4-8, l'autre entre 'Ébal et le Garizim, vv. 11-26, donc au sanctuaire patriarcal de Sichem, Dt 11 29-30, ou tout près de là. Au contraire notre texte unit les deux actions en une seule, sans tenir compte du fait qu'il faudrait des heures pour qu'une foule passe d'un endroit à l'autre; négligeant Dt 27 4, il aboutit à ce résultat que la Loi paraît être écrite sur les pierres mêmes de l'autel; tout ceci peut être le fait d'un abréviateur. Mais la suite s'écarte davantage de la tradition antique conservée par Dt; on introduit l'arche portée par les lévites, Nb 3 31, on remplace la division du peuple en tribus par une

l'avait ordonné aux enfants d'Israël, selon qu'il est écrit
dans le livre de la Loi de Moïse : un autel de pierres brutes[a]
qui n'aient pas subi les atteintes du fer. Ils y offrirent des
holocaustes à Yahvé et immolèrent des sacrifices de communion.

Lecture de la Loi.   [32] Là, Josué écrivit sur les
pierres une copie de la Loi
de Moïse[b] qu'il avait écrite
pour les Israélites. [33] Puis, des deux côtés de l'arche, en
face des prêtres lévites[c] qui portaient l'arche de l'alliance
de Yahvé, tout Israël avec ses anciens, ses scribes et ses
juges, tous, étrangers comme citoyens[d], se rangèrent
moitié sur le front du mont Garizim et moitié sur le front
du mont Ébal, suivant l'ordre donné par Moïse, serviteur
de Yahvé, pour donner la bénédiction au peuple d'Israël
en premier lieu[e]. [34] Puis Josué lut toutes les paroles de la
Loi, — la bénédiction et la malédiction, — suivant la

32. « *Josué* » G ; « *il* » H.
34. « *Josué* » G ; « *il* » H.

division en fonctions sociales, on donne à Josué le rôle prévu pour les
lévites. Si notre rédacteur voulait simplement montrer l'application de
Dt **27**, il aurait suivi de plus près son modèle comme il l'a fait au ch. **1**.
L'indépendance relative de ce texte ne permet donc pas de lui refuser
toute valeur historique, et sa situation dans le livre, aussitôt après l'ouver-
ture de la route vers la montagne, montre l'importance qu'on lui attribuait.

a) « Pierres brutes », Ex **20** 24, 25 ; ainsi étaient faits les autels de cir-
constance des patriarches ou des juges, et encore de Saül, 1 S **14** 35, la
taille des pierres étant un travail long et coûteux. Mais il semble que dans
la suite on donna à cette règle un sens symbolique difficile à définir, 1 R **6** 7.

b) « Loi de Moïse » : expression commune dans l'école deutéronomiste,
cf. ici **23** 6 ; 1 R **2** 3 ; 2 R **14** 6 ; **23** 25, puis auteurs post-exiliques.

c) Cf. **3** 3.

d) Cf. Dt **29** 9 : « chefs de tribus, anciens, scribes, hommes, enfants et
femmes (= citoyens), et aussi l'étranger » ; aussi Dt **16** 18 ; **31** 28 ; Nb **11** 16.
Pour l'opposition entre citoyens et étrangers, cf. Ex **12** 49 ; Lv **17** 15, etc. ;
Ez **47** 22. Pour les « scribes », cf. **1** 10 ; pour les « étrangers », cf. ch. **9**.

e) Euphémisme pour ne pas parler de la malédiction.

teneur exacte du livre de la Loi. [35] Il n'y eut pas un mot
de tout ce que Moïse avait commandé, qui ne fût lu par
Josué en présence de l'assemblée[a] plénière d'Israël, y
compris femmes et enfants ainsi que les étrangers qui
vivaient au milieu du peuple.

VI. LE TRAITÉ ENTRE ISRAËL ET LES GABAONITES[b]

Coalition contre Israël[c].
9. [1] En apprenant ces
faits, tous les rois qui étaient
de ce côté du Jourdain, dans

---

a) Ce mot (*qâhâl*) n'a pas nécessairement un sens cultuel, 1 S **17** 47
par ex., mais il le prend dans Dt et son école : Dt **23** 2-9, etc.

b) Le fait d'une antique alliance entre Israël et Gabaôn est garanti par
la réparation éclatante accordée par David à ses habitants, 2 S **21**. Le récit
qui nous en est donné est fortement marqué d'esprit satirique et doit provenir des gens de Benjamin. On notera que les « hommes d'Israël » y
jouent un rôle important à côté de Josué et même en dehors de lui, ce qui
met ce passage à part de l'ensemble du livre, mais le ch. **10** demande bien
que ce soit Josué l'auteur de cette alliance. La deuxième partie du récit
met en scène les « notables de la communauté ». Le premier mot, traduit
ailleurs « chefs » ou « princes », désigne les chefs des tribus, Nb **1** 16, 44,
ou de groupes moins importants, Nb **10** 4; **16** 2. Leurs fonctions sont de
répartir les terres, Nb **27** 2; **31** 13; **34** 18; **36** 1, ou de régler les affaires inter-
tribales, Jos **22** 14. La « communauté » est aussi un terme technique désignant
l'assemblée d'Israël réunie pour le culte, ou quelquefois pour le traitement
des affaires communes, 1 R **12** 20; Jg **20** 1; **21** 10-16; Jos **22**. L'association
des deux termes est du style sacerdotal, Ex **16** 22; **34** 31; Nb **4** 34; **32** 2.
Cette seconde partie du récit vient donc des milieux du Temple, qui est
expressément désigné au v. 27 suivant l'usage de Dt **12** 5-26, etc.

Il est assez bien établi que les Cananéens furent asservis au temps des
rois, 1 R **9** 20-21, et probablement Jg **1** 28, 30; Dt **20** 11. On peut penser
que les Gabaonites, dont une ville avait abrité l'arche, 1 S **6** 21, et dont
Salomon avait fréquenté le haut lieu, 1 R **3** 4, aient eu le privilège de servir
au Temple. A la basse époque royale une situation semblable sera celle des
« donnés » d'origine étrangère, Esd **2** 43, etc. Un peu partout les corvées
d'eau et de bois étaient réservées aux étrangers domiciliés, *gérîm*, Dt **29** 10,
traités en principe avec bienveillance, Dt **14** 29, mais réduits faute de droits
fonciers à une humble situation, Ex **20** 10; ils étaient pourtant associés
au culte, Ex **12** 48.

c) Les vv. 1-2 sont une transition du rédacteur deutéronomiste; la liste

la Montagne, dans le Bas-Pays, sur toute la côte de la
Grande Mer jusqu'au Liban, Hittites, Amorites, Cananéens, Perizzites, Hivvites et Jébuséens, [2] se coalisèrent
pour combattre de concert Josué et Israël.

[3] Les habitants de Gabaôn,

Ruse des Gabaonites. instruits de la manière dont
Josué avait traité Jéricho et
Aï, [4] eurent de leur côté recours à la ruse. Ils se mirent en
route, munis de provisions, ayant chargé leurs ânes de
vieux sacs et de vieilles outres à vin crevées et recousues.
[5] Ils avaient à leurs pieds des sandales usées et rapiécées,
et sur eux de vieux habits. Tout le pain qu'ils emportaient
pour leur nourriture était durci et réduit en miettes.

[6] Ils arrivèrent auprès de Josué, au camp de Gilgal, et,
s'adressant à lui ainsi qu'aux hommes d'Israël : « Nous
venons, dirent-ils, d'un pays lointain : faites donc alliance[a]
avec nous. » [7] Les hommes d'Israël répondirent à ces
Hivvites : « Qui sait si vous n'habitez pas dans nos environs ? Alors comment pourrions-nous faire alliance avec
vous ? » [8] Ils répondirent à Josué : « Nous sommes tes
serviteurs. » — « Mais qui êtes-vous, leur demanda Josué;
d'où venez-vous ? » [9] Ils répliquèrent : « C'est d'un pays
très éloigné que viennent tes serviteurs, à cause du renom
de Yahvé ton Dieu[b], car nous avons entendu parler de

---

9 4. « *munis de provisions* » wayyiṣṭayyadû *conj. d'après v.* 12; wayyiṣṭayyarû
de H peut être compris : « *et ils se déguisèrent* »; *G additionne les deux traductions.*

---

des trois régions, Montagne, Bas-Pays, Côte, vient de Dt **1** 7, cf. plus loin
15. La liste des six peuples est complétée à sept dans G, cf. **3** 10.

a) Litt. « coupez l'alliance », c'est-à-dire la victime du sacrifice, rite
accompagné de malédictions pour le violateur, cf. Gn **15** 9-18; Jr **34** 8-18.
L'expression se dit toujours du supérieur à l'inférieur, 1 S **11** 1; 2 S **5** 3, etc.
b) Cf. 1 R **8** 41-42.

lui et de tout ce qu'il a fait en Égypte, [10] et de tout ce qu'il a fait aux deux rois des Amorites qui régnaient au delà du Jourdain, Sihôn, roi de Heshbôn, et Og, roi du Bashân, qui vivait à Ashtarot. [11] Alors nos anciens et tous les habitants de notre pays nous ont dit : ' Prenez avec vous des provisions pour le voyage; allez au devant d'eux et dites-leur : Nous sommes vos serviteurs, faites donc alliance avec nous. ' [12] Voici notre pain; il était tout chaud quand nous l'avons pris dans nos maisons pour la route, le jour où nous sommes partis pour aller chez vous, et maintenant le voilà durci et réduit en miettes; [13] ces outres à vin que nous avions remplies toutes neuves, les voilà crevées; nos sandales et nos vêtements, les voilà usés par une marche extrêmement longue. »

[14] Les notables acceptèrent de leurs provisions, mais sans consulter l'oracle de Yahvé[a]. [15] Josué leur accorda la paix et fit alliance avec eux pour qu'ils aient la vie sauve, et les notables de la communauté leur en firent le serment.

[16] Or, il arriva que trois jours après la conclusion de cette alliance, on apprit qu'ils étaient un peuple voisin habitant au milieu d'Israël[b]. [17] Les Israélites partirent du camp et arrivèrent dans leurs villes, qui étaient Gabaôn, Kephira, Béérot et Qiryat-Yéarim. [18] Les Israélites ne les

---

14. « *Les notables* » hann^esî'îm *G* ; « *Les hommes* » ha'ănâšîm *H*.
17. *Après* « *leurs villes* », *H ajoute* « *le troisième jour* »; *omis par G*.

---

a) « L'oracle », litt. « la bouche » : ce mot demande un contexte prophétique, 1 R 8 15, 24; Is 1 20; 40 5; Jr 9 11, ou quelquefois légal, Dt 8 3. Accepter de partager de la nourriture, c'est entrer dans des rapports d'hospitalité et donc de paix, cf. Gn 31 46-54.

b) « Au milieu » : expression technique pour désigner la situation des peuples minoritaires, cf. Jg 1 30-33.

attaquèrent pas, puisque les notables de la communauté leur avaient fait serment par Yahvé, Dieu d'Israël. L'ensemble de la communauté toutefois murmura contre les notables.

[19] Tous les notables firent

Statut des Gabaonites. en assemblée plénière cette déclaration : « Du moment que nous leur avons fait serment par Yahvé, Dieu d'Israël, nous ne pouvons les toucher. [20] Voici ce que nous leur ferons : nous les laisserons vivre, de crainte d'attirer sur nous la Colère à cause du serment que nous leur avons fait. » [21] A cela les notables ajoutèrent : « Qu'ils vivent ! mais qu'ils soient fendeurs de bois et porteurs d'eau au service de toute la communauté. » La communauté fit comme les notables avaient dit. [22] Josué manda les Gabaonites et leur dit : « Pourquoi nous avez-vous trompés en disant : ' Nous sommes très éloignés de vous ', quand vous habitez au milieu de nous ? [23] Dorénavant vous êtes maudits et vous ne cesserez jamais d'être en servitude, comme fendeurs de bois et porteurs d'eau dans la maison de mon Dieu. » [24] Ils répondirent à Josué : « C'est que tes serviteurs avaient fort bien appris l'ordre reçu de Yahvé ton Dieu par Moïse, son serviteur, de vous donner tout ce pays et d'en exterminer devant vous tous les habitants; aussi avons-nous été saisis à votre approche d'une grande crainte pour nos vies. Voilà pourquoi nous avons agi de la sorte. [25] Et maintenant, nous voici entre tes mains : ce qu'il te semble bon et juste de nous faire, fais-le. » [26] Il agit ainsi à leur égard. Il les sauva de la main des Israélites qui ne les tuèrent pas. [27] De ce jour, Josué

---

20. « *nous les laisserons vivre* » wᵉnaḥăyeh *G* ; « *et laissez-les vivre* » wᵉhaḥăyeh *H*.

21. « *La communauté fit* » *G* ; *omis par H*.

les mit à la disposition de la communauté comme fendeurs
de bois et porteurs d'eau et les attacha — jusqu'aujour-
d'hui — à l'autel de Yahvé[a] au lieu qu'il choisirait.

VII. Coalition des cinq rois amorites[b]. Conquête du Sud palestinien

**Cinq rois font la guerre
à Gabaôn.**

10. [1] Or, il advint qu'A-
doni-Çédeq, roi de Jérusalem, apprit que Josué s'était
emparé de Aï et l'avait vouée
à l'anathème, traitant Aï et son roi comme il avait traité
Jéricho et son roi, et que les habitants de Gabaôn avaient

---

a) G insère : « C'est pourquoi les habitants de Gabaôn sont fendeurs
de bois et porteurs d'eau de l'autel de Dieu. »

b) Ce ch. comprend trois parties. La première, vv. 1-15, rapporte le
combat de Gabaôn et la poursuite jusqu'à Azéqa; le mot « Maqqéda » a
été ajouté au v. 10 pour unifier avec la suite. Ce récit vient du cycle de
Gilgal, l'endroit est nommé plusieurs fois, en particulier au v. 15 où il
rompt l'enchaînement actuel de la rédaction; le caractère miraculeux
reconnu à la victoire y convient aussi. On trouvera dans Jg **1** 4-7 la version
judéenne des événements et la fin d'Adoni-Çédeq. La deuxième partie,
vv. 16-27, est une tradition locale de Maqqéda, ville située, d'après les
topographes byzantins, à l'est de Lakish, au contact de la Montagne et du
Bas-Pays de Juda, et dont la prise ouvrait cette dernière région; le récit
suppose acquise la prise de la ville qui n'est racontée qu'au v. 28. La troisième partie, avec ses formules stéréotypées, paraît n'être que le développement narratif d'une liste de villes du Bas-Pays, l'intervention personnelle
de Josué y est douteuse. A cette liste ont été ajoutées Hébron et Debir qui
proviennent de la tradition propre des Calébites assimilée ici à la tradition
générale d'Israël, cf. plus loin, **14** 6-15 et **15** 13-20. Le rattachement des
2e et 3e parties à Gilgal par le v. 43 est probablement le fait du rédacteur
final. Les deux premières parties ont en commun le thème des cinq rois,
qui a conduit à les unifier, mais la liste des vv. 28-38 contient aussi cinq
noms, en outre d'Hébron et Debir, et ils conviendraient mieux au v. 23.
Dans la liste du v. 3, on retrouve Debir comme nom d'homme, indice
d'une contamination, d'autre part G identifie Hoham du v. 3 et Horam
du v. 33, et sa transcription Αιλαμ appuie la seconde forme; on pourrait
donc envisager de ramener la première liste à : Jérusalem, Gézer, Yarmut,
Lakish et Églôn.

fait leur paix avec Israël et lui étaient incorporés^a. ² On
en fut terrifié, car Gabaôn était une ville de l'importance
des villes royales, une ville plus grande que Aï, et tous
ses citoyens étaient des guerriers. ³ Alors Adoni-Çédeq,
roi de Jérusalem, envoya dire à Hoham, roi d'Hébron,
à Piréam, roi de Yarmut, à Yaphia, roi de Lakish, et à
Debir, roi d'Églôn : ⁴ « Joignez-vous donc à moi pour
m'aider à battre Gabaôn, parce qu'elle a fait la paix avec
Josué et les Israélites. » ⁵ Ayant opéré leur jonction, les
cinq rois amorites se mirent en marche, à savoir le roi de
Jérusalem, le roi d'Hébron, le roi de Yarmut, le roi de
Lakish et le roi d'Églôn, eux et toutes leurs troupes; ils
assiégèrent Gabaôn et l'attaquèrent.

Josué au secours de Gabaôn.

⁶ Les Gabaonites envoyèrent dire à Josué au camp de
Gilgal : « Ne délaisse pas tes serviteurs, hâte-toi de monter jusqu'à nous pour nous sauver et nous secourir, car
tous les rois amorites qui habitent la montagne se sont
ligués contre nous. » ⁷ Josué monta de Gilgal en personne,
ayant avec lui tous les gens de guerre et toute l'élite de
l'armée^b. ⁸ Yahvé dit à Josué : « Ne les crains pas : je les
ai livrés en ton pouvoir, nul d'entre eux ne te résistera. »
⁹ Josué arriva sur eux à l'improviste après avoir marché
toute la nuit^c depuis Gilgal.

Le secours d'en-haut.

¹⁰ C'est Yahvé qui les mit en déroute en présence d'Israël et leur infligea à Gabaôn

---

a) « Incorporés » : cf. **9** 16, « au milieu ».
b) « Élite de l'armée », comme « vaillants guerriers » de **6** 3 et « hommes d'élite » de **8** 3.
c) « Toute la nuit » : trait de bonnes narrations historiques, 2 S **2** 29, 32; **4** 7; **17** 16; il y a sept à huit heures de Gilgal à Gabaôn. Des bédouins font encore aisément de telles distances en marche de nuit.

une rude défaite : il les poursuivit même dans la direction
de la pente de Bet-Horôn et les battit jusqu'à Azéqa et
jusqu'à Maqqéda. ¹¹ Or, tandis qu'ils fuyaient devant
Israël à la descente de Bet-Horôn, Yahvé lança du ciel
sur eux jusqu'à Azéqa d'énormes grêlons, et ils moururent.
Il en mourut plus sous les grêlons que sous le tranchant
de l'épée des Israélites*a*. ¹² C'est alors que Josué s'adressa
à Yahvé, en ce jour où Yahvé livra l'Amorite aux Israélites.
Josué s'écria :

> « Soleil, arrête-toi sur Gabaôn,
> et toi, lune, sur la vallée d'Ayyalôn ! »

> ¹³ Et le soleil s'arrêta et la lune se tint immobile
>   jusqu'à ce que le peuple eût tiré vengeance de ses
>   ennemis.

Cela n'est-il pas écrit dans le livre du Juste*b* ? Le soleil se
tint immobile au milieu du ciel et près d'un jour entier
retarda son coucher. ¹⁴ Il n'y a pas eu de journée pareille
ni auparavant ni depuis, où Yahvé ait obéi*c* à la voix d'un
homme. C'est que Yahvé combattait*d* pour Israël. ¹⁵ Josué
et avec lui tout Israël regagnèrent le camp de Gilgal.

---

a) Cf. 2 S **18** 8. En faisant participer les éléments à la victoire, on souligne
le rôle personnel de Yahvé et on condamne moralement les vaincus. Sur
les « grêlons », cf. Is **30** 30; Jb **38** 22-23; Si **46** 4-6.

b) Ancien recueil poétique, cf. 2 S **1** 18. Ce couplet d'un chant populaire sert au narrateur à prolonger son récit sur le mode de l'épopée;
c'était primitivement une conjuration pour obtenir le temps d'achever
la victoire, cf. 1 S **14** 24.

c) C'est là quelque chose d'extraordinaire et que l'A. T. affirme rarement,
quelquefois pour le peuple tout entier, Ex **2** 24; **3** 7; **6** 5; Jg **2** 18; Ps **106**
44, quelquefois pour des individus privilégiés, Gn **16** 11; **17** 20; **30** 6;
2 R **13** 4; **19** 20; **20** 5, parmi lesquels les psalmistes rangeront tous les
humbles, Ps **10** 17. Le N. T. sera plus affirmatif, Mt **6** 6; **7** 7-11 et parallèles;
21 22 et parallèles; Lc **11**; **18** 1-8; 1 Jn **5** 14-15.

d) Cf. Ex **14** 14, 25; Dt **1** 30; **3** 22, etc.

Les cinq rois dans la caverne de Maqqéda.

16 Quant aux cinq rois en question, ils avaient pris la fuite et s'étaient cachés dans la caverne de Maqqéda 17 et l'on vint en informer Josué : « Les cinq rois, lui dit-on, viennent d'être découverts cachés dans la caverne à Maqqéda. » 18 Josué répondit : « Roulez de grosses pierres à l'entrée de la caverne et apostez contre elle des hommes pour y veiller. 19 Et vous, ne restez pas inertes, poursuivez vos ennemis, coupez-leur la retraite et ne les laissez pas entrer dans leurs villes, car Yahvé votre Dieu les a livrés entre vos mains. »

20 Quand Josué et les Israélites, les ayant mis en une complète déroute, achevaient de les exterminer tous, ceux qui avaient réchappé vivants s'introduisirent dans les places fortes*a*. 21 Tout le peuple revint au camp sain et sauf auprès de Josué à Maqqéda, et personne n'osa rien faire contre les Israélites.

22 Josué dit alors : « Dégagez l'entrée de la caverne et faites-en sortir ces cinq rois pour me les amener. » 23 On fit ainsi et on lui amena hors de la caverne ces cinq rois : le roi de Jérusalem, le roi d'Hébron, le roi de Yarmut, le roi de Lakish et le roi d'Églôn. 24 Lorsqu'on lui eut amené ces rois, Josué appela tous les hommes d'Israël et dit aux officiers*b* des gens de guerre qui l'avaient accompagné :

---

10 21. « *personne n'osa... Israélites* » lo' ḥāraṣ libᵉné-isra'el 'îš *G* ; lᵉ'îš *H* *n'a pas de sens.* « *aiguiser sa langue* » (*traduit* « *faire* ») *peut s'étendre à toutes sortes de calomnies, intrigues, préparatifs, etc.*

24. « *accompagné* » hèholᵉkîm *G* ; hèhâlᵉkû' *H fautif.*

---

a) « Ceux qui... places fortes » : mots ajoutés pour préparer vv. 28-39.
b) Ce mot (*qᵉṣᵗnîm*), qu'on trouve surtout à l'époque royale ou plus tard, désigne quelquefois des chefs militaires, Jg **11** 6; Is **22** 3, mais plus souvent des magistrats civils, Pr **6** 7; Mi **3** 1, d'où la traduction qui se réfère à l'ancien usage français.

« Approchez et mettez le pied sur la nuque ^{a} de ces rois ! »
Ils s'avancèrent et mirent le pied sur leurs nuques. ^{25} « Soyez
sans crainte et sans faiblesse, reprit Josué, mais soyez
fermes et résolus ^{b}, car c'est de la sorte que Yahvé traitera
tous les ennemis que vous aurez à combattre. » ^{26} Après
quoi, Josué les frappa à mort et les fit pendre ^{c} à cinq arbres
auxquels ils restèrent suspendus jusqu'au soir.

^{27} A l'heure du coucher du soleil, sur un ordre de Josué,
on les dépendit des arbres et on les jeta dans la caverne
où ils s'étaient cachés. De grandes pierres furent dressées
contre l'entrée de la caverne : elles y sont encore jusqu'à
ce jour.

Conquête des villes méridionales de Canaan.

^{28} Dans la même journée Josué se rendit maître de Maqqéda et la frappa, ainsi que son roi, du tranchant de l'épée : il les voua à l'anathème avec tout ce qui se trouvait là de vivant sans en
laisser échapper personne, et traita le roi de Maqqéda
comme il avait traité le roi de Jéricho.

^{29} Josué, avec tout Israël, passa de Maqqéda à Libna,
qu'il attaqua. ^{30} Yahvé la livra aussi, avec son roi, au pouvoir d'Israël qui la fit passer au fil de l'épée avec tout ce
qui s'y trouvait de vivant; il n'y laissa pas un survivant.
Il traita son roi comme il avait traité celui de Jéricho.

^{31} Josué, avec tout Israël, passa de Libna à Lakish, qu'il
assiégea et attaqua. ^{32} Yahvé livra Lakish au pouvoir
d'Israël qui s'en empara le second jour et la fit passer au

27. « *ce jour* » *G ; H ajoute* « *même* ».

a) Geste de triomphe représenté sur les bas-reliefs assyriens, cf. Dt **33** 29 et Ps **110** 1.
b) Cf. **1** 6; **8** 1.
c) Cf. **8** 29.

fil de l'épée avec tout ce qui s'y trouvait de vivant, tout comme il avait agi pour Libna. ³³ C'est alors que le roi de Gézer^a, Horam, monta pour secourir Lakish, mais Josué le frappa, ainsi que son peuple, jusqu'à ce qu'il ne lui laissât pas un survivant.

³⁴ Josué, avec tout Israël, passa de Lakish à Églôn. Ils l'assiégèrent et l'attaquèrent. ³⁵ Ils s'en emparèrent le jour même et la firent passer au fil de l'épée. Il voua à l'anathème, en ce jour-là, tout ce qui s'y trouvait de vivant, tout comme il avait agi pour Lakish.

³⁶ Josué, avec tout Israël, monta d'Églôn à Hébron, et ils l'attaquèrent. ³⁷ Ils s'en emparèrent et la firent passer au fil de l'épée, ainsi que son roi, toutes les localités qui en dépendaient, et tout ce qui s'y trouvait de vivant. Il ne laissa pas un survivant, tout comme il avait agi pour Églôn. Il la voua à l'anathème, ainsi que tout ce qui s'y trouvait de vivant.

³⁸ Alors Josué, avec tout Israël, se détourna sur Debir et l'attaqua. ³⁹ Il s'en empara avec son roi et avec toutes les localités qui en dépendaient; ils les firent passer au fil de l'épée et vouèrent à l'anathème tout ce qui s'y trouvait de vivant. Il ne laissa pas un survivant. Comme il avait traité Hébron, Josué traita Debir et son roi, tout comme il avait traité Libna et son roi.

Récapitulation des conquêtes du Sud.

⁴⁰ Ainsi Josué soumit tout ce pays, à savoir : la Montagne, le Négeb, le Bas-Pays, les pentes^b, ainsi que tous leurs rois. Il ne laissa pas un survivant et voua tout être

---

a) Cette ville demeura indépendante jusqu'à Salomon, 1 R **9** 16.

b) « Les pentes » : expression propre à ce livre. En comparant à Dt **1** 7 on voit qu'il s'agit du bord de la mer. Le mot 'èšèd, associé aux cours d'eau, Nb **21** 15, peut convenir ici aux torrents de la côte alimentés dans leur partie basse par des sources permanentes.

vivant*a* à l'anathème, comme Yahvé, le Dieu d'Israël, l'avait prescrit, ⁴¹ depuis Cadès Barné jusqu'à Gaza*b*, et toute la région de Goshèn jusqu'à Gabaôn. ⁴² Tous ces rois avec leur territoire, Josué s'en empara dans une seule expédition, parce que Yahvé, le Dieu d'Israël, combattait pour Israël. ⁴³ Enfin Josué, avec tout Israël, revint au camp à Gilgal.

VIII. LA CONQUÊTE DU NORD*c*

Coalition des rois du Nord.

11. ¹ Lorsque Yabîn, roi de Haçor, eut appris ces faits, il en informa Yobab, roi de Mérom, le roi de

---

41. *Avant « depuis Cadès Barné »*, H *ajoute* « *Josué les battit* ».
11 1. « *Mérom* » G, *comme au v.* 5 ; « *Mâdôn* » H. — « *Symoôn* » G^B *appuyé par Tell Amarna et l'arabe moderne, de même* **12** 20; **19** 15 ; « *Shimrôn* » H.

a) « Être vivant », *nᵉ* *šâmah,* mot rare, cf. Dt **20** 16.

b) « De Cadès-Barné à Gaza » : définition du Goshèn de Palestine, à distinguer de celui d'Égypte, Gn **47** 1. Lire peut-être « Geshur » selon **13** 2 et 1 S **27** 8.

c) Ce ch. contient d'abord le récit de la campagne de Haute-Galilée, il est bien de la même famille littéraire que ceux qui précèdent mais ne peut être rattaché à aucun cycle local déterminé. Les fouilles en cours sur le tell de Haçor confirment que cette très grande ville fut complètement détruite à la fin du « Récent Bronze », époque où on s'accorde à placer l'invasion israélite; elle ne semble pas avoir été réhabitée, ou à peine, pendant la période correspondant au temps des Juges. Des explorations de surface ont montré aussi que l'établissement des Israélites, civilisation du premier Fer, avait été rapide et étendu dans les régions voisines. La liste des pays coalisés, v. 2, dérive de Dt **1** 7 par adaptation locale : le « bord de la mer » est remplacé par les « coteaux de Dor », c'est-à-dire les parties basses du Carmel. Les quatre villes nommément désignées incluent la Galilée dans son ensemble, y compris la plaine d'Acre avec Akshaf, cf. **19** 24, mais sans les plaines du Sud. Tel que se présente le récit, le coup d'audace de Josué est de gagner le plateau de Haute-Galilée par un chemin difficile, sans avoir occupé les pays cananéens qu'il traverse pour y arriver.

Les vv. 15-20 sont un résumé du deutéronomiste, les vv. 21-23 sont un élément de tradition méridionale rajouté aux précédents.

Symoôn, le roi d'Akshaph [2] et les rois habitant au nord la
Montagne et la plaine au sud de Kinnerot, le bas-pays,
et les coteaux de Dor à l'ouest. [3] Le Cananéen se trouvait
à l'orient et à l'occident, l'Amorite, le Hivvite, le Perizzite
et le Jébuséen dans la montagne, le Hittite au-dessous de
l'Hermon, au pays de Miçpa[a]. [4] Ils partirent, ayant avec
eux toutes leurs troupes, une multitude innombrable
comme le sable de la mer, avec une énorme quantité de
chevaux et de chars.

Victoire de Mérom. [5] Tous ces rois, s'étant
donné rendez-vous, arrivè-
rent et campèrent les uns
près des autres aux eaux de Mérom pour combattre Israël.
[6] Yahvé dit alors à Josué : « N'aie pas peur[b] de ces gens-là,
car demain à la même heure je les ferai voir tous, percés
de coups, à Israël; tu couperas les jarrets de leurs chevaux
et tu brûleras leurs chars[c]. » [7] Avec tous ses guerriers,
Josué les atteignit à l'improviste près des eaux de Mérom
et tomba sur eux. [8] Yahvé les livra au pouvoir d'Israël,
qui les battit et les poursuivit jusqu'à Sidon-la-Grande et
jusqu'à Misrephot à l'occident et, au levant, jusqu'à la
vallée de Miçpa : il les déconfit à tel point qu'il n'en sur-
vécut pas même un fugitif. [9] Josué les traita comme Yahvé
lui avait dit : il coupa les jarrets de leurs chevaux et livra
leurs chars au feu.

---

3. « *Hivvite... Hittite* » : *ces deux mots dans l'ordre de* G[B], *inversés dans* H
qui est appuyé par Jg **3** 3, H *et* G ; *on estime que le voisinage de l'Hermon est la
région où ont pu pénétrer quelques Hittites syriens.*

8. « *à l'occident* » miyyâm *certains* G ; « *des eaux* » mayîm H ; *et de même*
13 6.

---

a) Liste des six peuples, cf. **3** 10; les Jébuséens n'ont rien à faire dans
cette région.

b) Cf. **8** 1; **10** 8, mêmes termes.

c) Cf. 2 S **8** 4. C'est sous Salomon que les Israélites assimileront ces
procédés de combat.

**Prise de Haçor
et des autres villes
du Nord.**

¹⁰ En ce temps-là, Josué revint et s'empara de Haçor dont il tua le roi d'un coup d'épée; Haçor était jadis la capitale de tous ces royaumes. ¹¹ On passa aussi au fil de l'épée tout ce qui s'y trouvait de vivant, en vertu de l'anathème. On n'y laissa pas âme qui vive*ᵃ* et Haçor fut livrée aux flammes. ¹² Toutes les villes de ces rois ainsi que tous leurs rois, Josué s'en rendit maître et les passa au fil de l'épée en vertu de l'anathème*ᵇ*, suivant les prescriptions de Moïse, serviteur de Yahvé.

¹³ Pourtant toutes les villes qui se dressaient sur leurs collines ruinées*ᶜ*, Israël ne les brûla pas, à l'exception de Haçor que Josué incendia. ¹⁴ Et tout le butin de ces villes, y compris le bétail, les Israélites se l'attribuèrent. Mais tous les êtres humains, ils les passèrent au fil de l'épée, jusqu'à les exterminer tous; ils n'y laissèrent pas âme qui vive.

**Le mandat de Moïse
exécuté par Josué.**

¹⁵ Ce que Yahvé avait ordonné à son serviteur Moïse, Moïse l'avait ordonné à Josué, et Josué l'exécuta, sans omettre un seul mot de ce que Yahvé avait ordonné à Moïse. ¹⁶ C'est ainsi que Josué s'empara de tout le pays : la Montagne*ᵈ*, tout le Négeb et tout le pays de Goshèn, le Bas-Pays, la Araba, la montagne d'Israël et ses collines. ¹⁷ Depuis le mont Pelé, qui s'élève vers Séïr, jusqu'à

---

16. « *le pays* » *G* ; « *ce pays* » *H*.
17. « *vers Séïr* » sé'îrah *G et* **12** 7; sé'îr *H*.

---

a) « Ame qui vive » comme « être vivant » de **10** 40, de même v. 14.
b) Cf. **6** 17-19.
c) Cf. **8** 28.
d) Cf. **10** 40.

Baal-Gad*a* dans la vallée du Liban au pied du mont Hermon, il s'empara de tous leurs rois, qu'il fit frapper et mettre à mort. ¹⁸ Pendant de longs jours, Josué avait fait la guerre à tous ces rois ; ¹⁹ nulle cité n'avait fait la paix avec les Israélites, sauf les Hivvites qui habitaient Gabaôn : c'est en combattant qu'ils s'emparèrent de toutes les autres. ²⁰ Yahvé avait en effet décrété que ces gens eussent le cœur assez endurci*b* pour combattre Israël, afin qu'ils devinssent anathèmes sans rémission et qu'ils fussent extirpés, comme Yahvé l'avait ordonné à Moïse.

Extermination des Anaqim.

²¹ En ce temps-là, Josué survint. Il extermina les Anaqim*c* de la Montagne, d'Hébron, de Debir, de Anab, de toute la montagne de Juda et de toute la montagne d'Israël : il les voua à l'anathème avec leurs villes. ²² Il ne resta plus d'Anaqim dans le pays israélite, sauf à Gaza, à Gat et à Ashdod. ²³ Josué s'empara de tout le pays, exactement comme Yahvé l'avait dit à Moïse, et il le donna en héritage à Israël conformément à sa répartition en tribus.

Enfin le pays se reposa de la guerre*d*.

---

a) Ces deux points de repère sont propres à ce livre, ils renferment tout le pays habitable de Palestine, cf. *Géographie,* p. 136.

b) Cf. Ex **4** 21-**14** 17.

c) Ancienne population de la région d'Hébron, cf. plus loin **14** 15 ; **15** 13-20 ; on leur attribuait une taille gigantesque, Nb **13** 28, 33 ; Dt **1** 28 ; **2** 10-23. Hébron, Anab et Debir sont dans la montagne de Juda, **15** 49-54, mais cette tradition est étendue ici à l'ensemble d'Israël. Gat, Gaza et Ashdod passeront aux Philistins, **13** 3, on garde donc ici le souvenir d'une époque antérieure à leur arrivée sous Ramsès III vers 1188.

d) Formule du rédacteur indiquant la fin des combats, cf. Jg **3** 11, 30 ; **5** 31 ; **8** 28.

IX. Récapitulation

**Les rois vaincus
à l'est du Jourdain**[a].

12. [1] Voici les rois du pays que les Israélites battirent et qu'ils dépouillèrent de leur territoire, au delà du Jourdain à l'orient, depuis le torrent de l'Arnon jusqu'à la montagne de l'Hermon, avec toute la Araba de l'est : [2] Sihôn, roi des Amorites qui résidait à Heshbôn, avait pour domaine depuis Aroër sise au bord du ravin de l'Arnon (y compris le creux[b] du ravin), la moitié de Galaad jusqu'au torrent du Yabboq, frontière des Ammonites, [3] et, à l'orient, la Araba jusqu'à la mer de Kinnerot d'une part et jusqu'à la mer de la Araba, ou mer Salée, en direction de Bet-ha-Yeshimot d'où l'on atteint au sud la base des rampes du Pisga[c].

[4] De son côté, Og, roi du Bashân, un des derniers Rephaïm[d], résidant à Ashtarot et à Édréï, [5] avait pour domaine le mont Hermon et Salka[e], et le Bashân en entier jusqu'à la frontière des Geshurites et des Maakatites[f],

---

12 4. « *De son côté* » G ; H *ajoute d'abord* « *Et le territoire de* ».

---

a) D'après Dt **2** 26-3 17.

b) Cf. Dt **2** 36; 2 S **24** 5.

c) « Rampes » comme « pentes » de **10** 40; il s'agit de cette partie de la plaine qu'arrosent des ruisseaux permanents descendus de la montagne.

d) Population légendaire. On lui attribuait des monuments mégalithiques, Dt **3** 11, plus nombreux en Transjordanie qu'en Palestine, Dt **2** 11; Gn **14** 5. On gardait aussi leur souvenir aux environs de Jérusalem, Jos **15** 8, et on leur assimilait probablement les « fils de Rapha » héros philistins, 2 S **21** 16-20. Dans les textes plus tardifs ce sont les ombres des morts, Is **26** 14.

e) Cf. Dt **3** 8-10 qui s'accorde mieux avec G : « à partir du mont... et de Salka », voir note sur **1** 4.

f) « Geshurites » et « Maakatites », cf. Dt **3** 14, populations de la rive orientale du Petit Jourdain et du lac de Tibériade.

plus la moitié de Galaad jusqu'aux frontières de Sihôn, roi de Heshbôn. [6] Moïse, serviteur de Yahvé, et les Israélites les avaient vaincus, et Moïse, serviteur de Yahvé, en avait livré la propriété aux Rubénites, aux Gadites et à la demi-tribu de Manassé.

Les rois vaincus à l'ouest du Jourdain [a].

[7] Voici les rois du pays que Josué et les Israélites battirent en deçà du Jourdain à l'occident, depuis Baal Gad [b] dans la vallée du Liban jusqu'au mont Pelé qui s'élève vers Séïr, et dont Josué distribua l'héritage aux tribus d'Israël suivant leurs divisions : [8] dans la Montagne et le Bas-Pays, dans la Araba et sur les pentes, au Désert et au Négeb : chez le Hittite, l'Amorite, le Cananéen, le Perizzite, le Hivvite et le Jébuséen :

[9] le roi de Jéricho, un;
le roi de Aï près de Béthel, un;
[10] le roi de Jérusalem, un;
le roi d'Hébron, un;
[11] le roi de Yarmut, un;
le roi de Lakish, un;
[12] le roi d'Églôn, un;
le roi de Gézèr, un;
[13] le roi de Debir, un;
le roi de Gédèr, un;

---

a) La plupart des anciennes villes cananéennes de cette liste ont été mentionnées dans les parties narratives de ce livre. On y trouve en outre : en Juda : Géder, Adullam, Horma et Arad, Jg **1** 16-17; chez les « fils de Joseph » : Tappuah, Héphèr, Apheq en Saron, Tirça, et Béthel selon H seulement, cette mention paraît solidaire de **8** 17, cf. Jg **1** 22; entre les « fils de Joseph » et les tribus du nord : Tanak, Megiddo, Qédesh (d'Issachar, 1 Ch **6** 57 et Jg **4** 9, plutôt que de Nephtali, Jos **19** 37). On remarque l'absence de Sichem, nommée plus loin, **24** 1, 25, 32, cf. Introduction.

b) Cf. **11** 17.

[14] le roi de Horma, un ;
le roi d'Arad, un ;
[15] le roi de Libna, un ;
le roi d'Adullam, un ;
[16] le roi de Maqqéda, un ;
le roi de Béthel, un ;
[17] le roi de Tappuah, un ;
le roi de Hépher, un ;
[18] le roi d'Aphèq en Saron, un ;
[19] le roi de Haçor, un ;
[20] le roi de Symoôn, un ;
le roi de Mérom, un ;
le roi d'Akshaph, un ;
[21] le roi de Tanak, un ;
le roi de Megiddo, un ;
[22] le roi de Qédesh, un ;
le roi de Yoqnéam au Carmel, un ;
[23] le roi de Dor aux coteaux de Dor, un ;
le roi des Goyim de Galilée, un ;
[24] le roi de Tirça, un.

Nombre de tous ces rois : trente et un[a].

---

18. « *Aphèq en Saron* » G ; « *le roi d'Aphèq un, le roi en Saron un* » H.
19. *Avant* « *le roi de Haçor* », H *ajoute d'après* **11** 1 « *le roi de Madôn* ».
20. « *le roi de Mérom* » G ; « *le roi de Shimrôn Meroôn* » H.
23. « *Galilée* » G *appuyé par Is* **8** 23 (*district*); « *Gilgal* » H.

---

a) Chiffre exact de H ; G qui a trois noms de moins, Béthel, Saron, Madôn, et un de plus, Mérom, dit 29.

II

RÉPARTITION DU PAYS
ENTRE LES TRIBUS

**Pays qui restent
à conquérir** [a].

13. [1] Or, Josué était devenu vieux, avancé en âge. Yahvé lui dit : « Te voilà vieux, avancé en âge, et pourtant il reste à conquérir un pays considérable. [2] Voici le pays qui reste :

« Tous les districts des Philistins et tout le pays des Geshurites [b]; [3] depuis le Shihor [c] qui est à l'est de l'Égypte jusqu'à la limite d'Éqrôn au nord, c'est compté comme Cananéen [d]. (Les cinq princes des Philistins sont le Gaziote, l'Ashdodite, l'Ashqalonite, le Gittite et l'Éqronite; les Avvites [e] sont [4] au midi.) Tout le pays des Cananéens

---

a) Les vv. 1-7 servent d'introduction générale aux documents géographiques. Ils expliquent comment il se fait qu'on ait réparti le territoire de Canaan avant d'en avoir achevé la conquête, cf. Jg **2** 20-23; **3** 1-6; Dt **7** 22. Suivant l'usage constant des documents anciens, le pays de Canaan, promis à Abraham, Gn **17** 8, comprend ce que nous appelons aujourd'hui la Palestine à l'ouest du Jourdain et le Liban. Notre texte donne aussi l'état des territoires qui restent à conquérir, Philistins au sud, Sidoniens au nord, Israël formant entre eux un groupe compact. Cette situation ne s'est pas réalisée avant David; on trouvera en Jg **1** 21-35 une meilleure image de l'état de choses le plus ancien.

b) Différents de ceux de **12** 5, cf. 1 S **27** 8.

c) Mot égyptien désignant un cours d'eau, c'est celui qu'on appelle plus souvent : « le torrent d'Égypte », aujourd'hui Wadi el Arish.

d) Bien qu'habité par une autre race, dont on se rappelle la venue, Dt **2** 23, ce pays fait partie de Canaan, Gn **10** 19.

e) « Les Avvites » ici et Dt **2** 23 seulement; G a lu dans les deux cas « Hivvites », cf. **3** 10.

depuis Gaza*a*, et les Sidoniens jusqu'à Aphéqa et jusqu'à la frontière de l'Amorite, ⁵ puis le pays du Giblite avec tout le Liban à l'orient depuis Baal-Gad au pied du mont Hermon jusqu'à l'Entrée de Hamat.

⁶ « Tous les habitants de la montagne depuis le Liban jusqu'à Misrephot à l'occident, tous les Sidoniens, c'est moi qui les chasserai de devant les Israélites. En attendant, répartis le pays par le sort*b* entre les Israélites ainsi que je te l'ai ordonné. ⁷ Le moment est venu de partager ce pays entre les neuf tribus et la demi-tribu de Manassé : depuis le Jourdain jusqu'à la Grande Mer à l'occident, tu le leur donneras; la Grande Mer sera leur limite. »

I. Description des tribus transjordaniennes*c*

Esquisse d'ensemble. ⁸ Quant à l'autre demi-tribu de Manassé, elle avait, avec les Rubénites et les Ga-

---

13 4. « *depuis Gaza et les Sidoniens* » mè-ʿazzah wᵉhaṣ-ṣîdônîm *G*ᴬᴮ; « *et la grotte qui est aux Sidoniens* » ûmᵉʿârah ašèr laṣ ṣîdônîm *H ; on peut aussi conjecturer :* « *et depuis Ara qui est...* » (*localité connue*) ûmè-ʿara ašèr...

7. « *depuis le Jourdain... limite* » *G ; omis par H.*

8. « *Quant à... Manassé* » *G ; omis par H.*

---

a) Le texte hébreu, corrigé, met la frontière des Sidoniens dans les prolongements du Carmel, entre le Saron et la plaine d'Esdrelon. Cette situation a existé depuis les Perses jusqu'à la fin de l'Antiquité. Mais il ne lui correspond rien de ce qu'on peut savoir des tribus ni des royaumes israélites. Il paraît préférable de suivre *G*ᴮᴬ et de comprendre que les vv. 2 et 3 ont été ajoutés après 4 comme une explication, cf. Gn 10 19. « L'Amorite » est ici l'Amurru des cunéiformes, Syrie actuelle, le v. 5 est donc lui aussi une explicitation du v. 4 et non pas une addition. Aphéqa peut être l'actuelle Afka au Liban, source et sanctuaire cananéen célèbre dans l'antiquité, qui a pu servir de frontière entre Sidon et Gébal (Byblos).

b) C'est le procédé utilisé dans les partages de terres entre particuliers, Is **34** 17; Mi **2** 4, 5; il ne s'agit pas ici des sorts sacrés des Urim et des Tummim.

c) Les vv. 8-33 rappellent la conquête de la Transjordanie, d'après Dt **3** 12-17 qu'ils complètent. La distribution donnée pour Ruben et Gad dites, déjà reçu la part d'héritage que Moïse leur a donnée au delà du Jourdain, du côté de l'orient : Moïse, serviteur de Yahvé, leur avait alors attribué [9] le pays à partir d'Aroër, située sur le bord du ravin de l'Arnon, et de la ville qui est au milieu du ravin; tout le plateau depuis Médba jusqu'à Dibôn; [10] toutes les villes de Sihôn, roi des Amorites, qui avait régné à Heshbôn, jusqu'à la frontière des Ammonites. [11] Ensuite le Galaad et le territoire des Geshurites et des Maakatites avec tout le massif de l'Hermon et le Bashân en entier, jusqu'à Salka; [12] et dans le Bashân, tout le royaume de Og, qui avait régné à Ashtarot et à Édréï et fut le dernier survivant des Rephaïm. Moïse avait vaincu et dépossédé ces deux rois [a]. [13] Mais les Israélites ne dépossédèrent pas les Geshurites ni les Maakatites, aussi Geshur et Maaka sont-ils encore aujourd'hui établis au milieu d'Israël [b]. [14] La tribu de Lévi fut la seule à laquelle on ne donna pas d'héritage : Yahvé, Dieu d'Israël, fut son héritage [c], comme il le lui avait dit.

La tribu de Ruben. [15] Moïse avait donné à la tribu des fils de Ruben une part selon leurs clans. [16] Ils eurent donc pour territoire depuis Aroër, située sur le bord du ravin de l'Arnon, y compris la ville qui est au milieu du ravin, et tout le plateau jusqu'à Médba, [17] Hesh-

---

9. « *depuis Médba* » mim-mêd[e]ba' *G* ; mêd[e]ba' *H*.

14. « *Yahvé* » *G et v.* 33; « *les mets consumés pour Yahvé* » *H*.

16. «*jusqu'à (Médba)* » 'ad *plusieurs Mss hébr.*; « *sur* » 'al *texte courant*.

---

diffère de Nb **32** 34-38, et s'accorde moins bien avec les documents anciens, Gn **49** 3-4, 19; Dt **33** 6, 20-21; I R **4** 19. Nos listes, dont la présentation par régions naturelles a quelque analogie avec celles de Juda et de Benjamin, doivent provenir d'une réorganisation profonde de la Transjordanie après les guerres qui l'ont ravagée au temps des rois.

a) Cf. **12** 2-5.

b) Cf. **9** 16.

c) Cf. Nb **18** 20; Dt **18** 2; Ez **44** 28; Ps **16** 5.

bôn avec toutes les villes qui sont sur le plateau : Dibôn,
Bamot-Baal, Bet-Baal-Meôn, [18] Yahaç, Qedémot, Méphaat,
[19] Qiryatayim, Sibma, et, dans la montagne de la Araba,
Çérèt-hash-Shahar; [20] Bet-Péor, les rampes du Pisga[a],
Bet-ha-Yeshimot, [21] toutes les villes du plateau et tout
le royaume de Sihôn, roi des Amorites, qui régna à Heshbôn : il avait été battu par Moïse ainsi que les princes de
Madiân, Évi, Réqem, Çur, Hur, Réba, vassaux[b] de Sihôn
qui habitaient le pays. [22] Quant à Balaam, fils de Béor, le
devin, les Israélites l'avaient passé au fil de l'épée avec
d'autres victimes[c]. [23] Ainsi le territoire des Rubénites
atteignait le Jourdain. Tel fut l'héritage des fils de Ruben
suivant leurs clans[d], avec les villes et leurs villages.

La tribu de Gad.   [24] Moïse avait donné à la
tribu de Gad, aux fils de Gad,
une part selon leurs clans.
[25] Ils eurent pour territoire Yazer, toutes les villes de
Galaad, la moitié du pays des Ammonites jusqu'à Aroër
qui est vis-à-vis de Rabba, [26] et depuis Heshbôn jusqu'à
Ramat-ham-Miçpé et Bétonim, et à partir de Mahanayim
jusqu'au territoire de Lo-Debar, [27] enfin dans la plaine :
Bet-Haram, Bet-Nimra, Sukkot, Çaphôn, le reste du

---

23. « *atteignait* » : *le même mot signifiant* « *limite* » *et* « *territoire* », *le texte et
les versions sont confus, le sens n'est pas douteux*. — « *leurs villes et leurs villages* »
hè-'âréhèm w[e]haṣ[e]rêhèm G ; « *les villes et leurs villages* » hè'ârîm w[e]haṣ[e]rê-
hèn H. *De même dans les autres emplois de cette formule.*

26. « *Lo-Debar* » *conj. d'après* 2 S **17** 27 *et Am* **6** 13; « *Lidebir* » H.

---

a) « Rampes », cf. « pentes », **10** 40; **12** 3.
b) « Vassaux », n[e]*sîkîm, mot rare,* Ez **32** 30; Mi **5** 4. *Essai d'harmoniser
les traditions indépendantes de Dt* 2 26-37 *et Nb* **31** 1-8.
c) Aucun sens cultuel dans ce mot, cf. Nb **19** 16; Dt **21** 1.
d) « Suivant leurs clans » : *cette formule qu'on retrouvera constamment
signifie que chaque tribu reçoit une part proportionnée au nombre de ses
clans, qui donne une idée de l'effectif total,* cf. **7** 14; **17** 5; Nb **33** 54
(*mêmes termes*).

royaume de Sihôn, roi d'Heshbôn. Le Jourdain faisait la
limite jusqu'à l'extrémité de la mer de Kinnérèt, sur la
rive transjordanienne, à l'orient. [28] Tel fut l'héritage des
fils de Gad, selon leurs clans, avec les villes et leurs villages.

**La demi-tribu
de Manassé.**

[29] Moïse avait donné à la
demi-tribu des fils de Manassé une part selon leurs
clans. [30] Ils eurent pour ter-
ritoire à partir de Mahanayim tout le Bashân, tout le
royaume de Og, roi du Bashân, tous les Douars[a] de Yaïr
en Bashân, soixante villes. [31] La moitié de Galaad ainsi
qu'Ashtarot et Édréi, villes royales de Og en Bashân,
passèrent aux fils de Makir, fils de Manassé, à la moitié[b]
des fils de Makir selon leurs clans.

[32] Telle fut la répartition faite par Moïse dans les Steppes
de Moab, au delà du Jourdain en face de Jéricho à l'orient.
[33] Mais Moïse n'avait pas donné d'héritage à la tribu de
Lévi : c'est Yahvé, le Dieu d'Israël, qui est son héritage,
comme il le lui a dit.

II. DESCRIPTION DES TROIS GRANDES TRIBUS
A L'OUEST DU JOURDAIN

Introduction[c].

14. [1] Voici ce que reçurent en héritage les Israélites
au pays de Canaan, ce que

---

27. « *Le Jourdain faisait* », cf. *v.* 23.
29. « *Manassé* » G ; H ajoute « *et ce fut pour la demi-tribu des fils de Manassé* ».

a) « Douars », *ḥawwot*, inusité en dehors de cette expression : racine
arabe désignant les constructions légères des semi-nomades, d'où la traduction; cf. Dt **3** 14; Jg **10** 3-5.
b) Cf. Jos **17** 1-3 et parallèles; une partie du groupe de Makir finit par
s'établir en Palestine, d'où la reprise du texte.
c) Le v. 1 est peut-être l'incipit d'un ancien document; il porte sur

leur assignèrent le prêtre Éléazar et Josué, fils de Nûn, assistés des chefs de familles des tribus d'Israël. [2] C'est par le sort qu'ils firent le partage, comme Yahvé l'avait ordonné par l'intermédiaire de Moïse pour les neuf tribus et la demi-tribu. [3] Moïse avait donné leur héritage aux deux tribus et demie d'outre-Jourdain, sans donner aux Lévites d'héritage parmi elles. [4] Les fils de Joseph formaient deux tribus : Manassé et Éphraïm. L'on ne donna dans le pays aucune part aux Lévites, si ce n'est certaines villes pour y demeurer, avec les pâturages[a] attenants pour leurs bestiaux et leurs biens. [5] Comme Yahvé l'avait commandé à Moïse, ainsi procédèrent les Israélites dans le partage du pays.

La part de Caleb[b]. [6] Des fils de Juda étant venus trouver Josué à Gilgal, Caleb, fils de Yephunné le Qenizzite, lui dit : « Tu sais bien ce que Yahvé a dit à Moïse, l'homme de Dieu[c], à mon sujet et au tien à Cadès Barné. [7] J'avais quarante ans lorsque Moïse, serviteur de

---

l'ensemble des tribus de Palestine, donc les ch. **14-19** ; on trouvera la liste des chefs de tribus en Nb **34** 17-29, auquel le v. 2 fait allusion. Lévi n'ayant pas de territoire propre, les « fils de Joseph » forment deux unités, bien qu'ils ne soient qu'une seule tribu patriarcale, Gn **29-30** ; Gn **49** ; Dt **27** 11-13 ; etc.

a) Voir plus loin ch. **21**.

b) Ancien récit de conquête où la tradition propre des Calébites, **15** 13-19, est introduite dans le cycle israélite de Gilgal. Caleb, fils de Yephunné, qui représente Juda dans les partages, Nb **34** 19, est assimilé au héros de Cadès-Barné, éponyme du groupe, Nb **13** 6 s. Les Qenizzites auxquels il se rattache, cf. Jg **1** 13 ; **3** 9, sont apparentés aux Édomites, cf. Gn **36** 11 s ; ce groupe était entré en contact avec Israël dans la région de Cadès-Barné ; mais il est très probable qu'il fit sa migration directement, atteignant la montagne de Palestine par le sud, et peut-être accompagné de Juda et de Siméon, Jg **1** 17. Le nom de Caleb, « le Chien », peut être rapproché de ceux des princes madianites Oreb, « le Corbeau », et Zéeb, « le Loup », Jg **8** 3.

c) Cf. 1 R **17** 18 ; Dt **33** 1.

Yahvé[a], m'envoya de Cadès Barné[b] pour explorer ce pays, ce dont je lui fis un rapport tout à fait sincère. [8] Mais les frères qui étaient montés avec moi découragèrent le peuple, tandis que moi j'accomplissais les volontés de Yahvé mon Dieu. [9] Ce jour-là Moïse fit ce serment : ' Sois-en sûr[c], le pays qu'a foulé ton pied t'appartiendra en héritage, à toi et à tes descendants pour toujours, parce que tu as accompli les volontés de Yahvé mon Dieu. ' [10] Depuis lors Yahvé m'a conservé la vie suivant sa promesse. Il y a quarante-cinq ans que Yahvé a fait cette déclaration à Moïse (Israël allait alors par le désert) et voici qu'à présent je compte quatre-vingt-cinq ans. [11] Je suis aussi robuste aujourd'hui que le jour où Moïse me confia cette mission, je garde encore à présent toute mon ancienne vigueur pour combattre et pour aller et venir. [12] Il est temps de me donner cette montagne que Yahvé me promit ce jour-là. Tu appris à cette époque que des Anaqim[d] la peuplaient et que les villes y étaient grandes et fortes. Si Yahvé est avec moi, je les déposséderai, ainsi que Yahvé l'a affirmé. »

[13] Josué bénit Caleb, fils de Yephunné, et lui donna Hébron pour héritage. [14] Aussi bien Hébron est-il resté jusqu'à ce jour l'apanage de Caleb, fils de Yephunné le Qenizzite, parce qu'il a accompli les volontés de Yahvé, Dieu d'Israël. [15] Le nom primitif d'Hébron était Qiryat-Arba. Arba était l'homme le plus grand parmi les Anaqim[e].

Le pays se reposa de la guerre[f].

---

a) Cf. **1** 1.

b) Ici comme dans Dt **1** 36, c'est Caleb seul qui explore la Palestine; c'est à un autre titre que Josué reçoit la promesse d'y entrer avec lui. Le livre des Nombres réunit plus intimement les deux personnages, **13-14** et **26** 65.

c) « Sois-en sûr », litt. « Si... ne pas... » : formule de serment appelant malheur sur qui la prononce, en cas de défaillance.

d) Cf. **11** 22. Les villes ne sont donc pas encore prises, cf. **10** 36-39.

e) Explication populaire du nom de Qiryat-Arba, cf. **15** 14.

f) Fin d'un récit de conquête, cf. **11** 24.

15. ¹ Le lot qui échut

La tribu de Juda.   à la tribu des fils de Juda
                                        selon leurs clans se trouva
vers la frontière d'Édom^b depuis le désert de Çîn jusqu'à
Cadès vers le sud-ouest. ² Leur limite méridionale partait
de l'extrémité de la mer Salée depuis la baie creusée vers
le midi, ³ se dirigeait au sud de la montée d'Aqrabbim,
traversait Çîn et montait au midi de Cadès Barné; passant
par Hèçrôn, elle montait à Addar d'où elle tournait à
Qarqa, ⁴ passait par Açmôn, débouchait au Torrent
d'Égypte pour aboutir à la mer. Telle sera votre limite
méridionale. ⁵ A l'orient, la limite était la mer Salée jusqu'à l'embouchure du Jourdain. La frontière du côté
nord^c partait de la baie à l'embouchure du Jourdain. ⁶ La
limite montait à Bet-Hogla, passait au nord de Bet-ha-

---

15 1. « *depuis le désert* » mim-midbar *G* ; « *le désert* » midbar *H*. — « *jusqu'à Cadès vers le sud-ouest* » 'ad qédèš têman *G, qui interprète* : « *depuis
l'extrémité sud* » miq^eṣeh têman *H* ; *ces deux mots absents de Nb 34* 3 *peuvent venir d'une dittographie du v. suivant,* miq^eṣeh yâm.

---

a) Chapitre composite. Au document primitif appartient le tracé de la
frontière entre Juda et Benjamin, vv. 5-12, et les finales, vv. 20 et 63, les
vv. 12 et 20 résultent du dédoublement d'une formule telle que **18** 20;
les vv. 20 et 63 étaient primitivement rapprochés comme **16** 8 et 10.

b) Cette frontière sud est aussi donnée en Nb **34** 3-5, avec quelques
différences accidentelles. Elle repousse étroitement Édom dans sa montagne, ignore les populations du désert telles qu'Amaleq, et inclut le poste
de Cadès-Barné que l'exploration archéologique a montré être d'époque
royale (Fer II), c'est donc une ligne du temps des rois de Juda. Son prolongement jusqu'à la mer par le « torrent d'Égypte » (Wadi el Arish)
est purement théorique. Comme dans Nb le v. 1 donne une indication très
générale suivie d'une reprise plus détaillée, vv. 2-5.

c) La frontière entre Juda et Benjamin ne suit pas les obstacles naturels,
elle s'explique par la permanence des villes indépendantes de Jérusalem
et des Gabaonites (cf. *Géographie*, p. 126). Les précisions données autour de
Jérusalem sont peut-être une addition du temps des rois (cf. Introduction,
p. 12); le prolongement jusqu'à la mer pourrait venir de l'annexion théorique d'Éqrôn (v. 45) dont ce serait la frontière nord, **13** 3.

Araba et allait à la Pierre de Bohân, fils de Ruben. ⁷ La limite montait à Debir*ᵃ* depuis la vallée d'Akor et tournait au nord vers le cercle de pierres qui est en face de la montée d'Adummim, laquelle est au midi du Torrent; la limite passait aux eaux de En-Shémesh et aboutissait à En-Rogel. ⁸ Elle remontait ensuite le ravin de Ben-Hin-nom venant du sud au flanc du Jébuséen, c'est-à-dire Jérusalem, gravissait la cime de la montagne qui barre le ravin de Hinnom du côté de l'occident et à l'extrémité septentrionale de la plaine des Rephaïm. ⁹ De la crête de la montagne la limite s'infléchissait vers la source des eaux de Nephtoah et se dirigeait vers le mont Éphrôn pour tourner dans la direction de Baala, c'est-à-dire Qiryat-Yéarim. ¹⁰ De Baala la limite inclinait du côté ouest vers la montagne de Séïr*ᵇ* et, longeant le versant nord du mont Yéarim — c'est-à-dire Kesalôn — elle descendait à Bet-Shémesh, traversait Timna, ¹¹ gagnait le côté nord d'Éqrôn, tournait vers Shikkarôn, passait par la hauteur de Baala, puis à Yabnéel, pour se terminer à la mer.

¹² La limite occidentale était formée par la Grande Mer. Telle était dans son pourtour la limite du territoire attribué aux clans des fils de Juda.

---

6. « *allait à la Pierre* » G ; H *répète :* « *et la frontière* » *et de même en beau-coup d'autres endroits dans les textes de ce genre.*

9. « *vers le mont* » G ; « *vers les villes du mont* » H ; *certains témoins de G donnent* Γαι *qui correspond à* 'âré *de H, mais peut-être aussi à* Γασιν *de* **18** 15, *auj. Yasîn.*

---

a) « Debir » incertain, on peut retrouver le nom au W. Dabber, mais aucune ruine n'a été relevée. G différent.

b) La forme Ασσαϱες de Gᴮ est appuyée par le moderne Saris.

Les Calébites occupent le territoire d'Hébronᵃ.

¹³ Caleb, fils de Yephunné, obtint une part au milieu des fils de Juda selon l'ordre de Yahvé à Josué. Celui-ci lui donna Qiryat-Arbaᵇ, métropole des Anaqim, aujourd'hui Hébron. ¹⁴ Caleb en expulsa les trois fils d'Anaq : Shéshaï, Ahimân et Talmaï, descendants d'Anaq. ¹⁵ De là il marcha contre les habitants de Debir, laquelle s'appelait autrefois Qiryat-Séphèr. ¹⁶ C'est alors que Caleb dit : « Celui qui vaincra Qiryat-Séphèr et s'en rendra maître, je lui donnerai ma fille Aksa pour femme. » ¹⁷ Celui qui la prit fut Otnielᶜ, fils de Qenaz, frère de Caleb, et celui-ci lui donna sa fille Aksa pour femme. ¹⁸ Lorsqu'elle fut arrivée près de son mari, celui-ci lui suggéra de demander à son père un champ. Puis elle se jeta à bas de son âne, et Caleb lui demanda : « Que veux-tu ? » ¹⁹ Elle répondit : « Accorde-moi une faveur. Puisque tu m'as reléguée au désert du Négeb, donne-moi donc des sources d'eau. » Et il lui donna les sources d'en-haut et les sources d'en-bas.

²⁰ Tel fut l'héritage de la tribu des fils de Juda suivant leurs clans.

---

18. « *celui-ci* » *conj. d'après certains G, et tous pour le parallèle de* Jg **1** 14; « *elle lui suggéra* » *H aux deux endroits.* — « *se jeta à bas* » tiṣᵉnaᶜ *conj., racine inusitée sous cette forme*; « *elle frappa* » tiṣᵉnaḥ *H, peu usité*; « *elle cria* » tiṣᵉraḥ *G.*

---

a) Tradition propre des Calébites sous sa forme la plus pure, cf. Jg **1** 10-15; on y remarque plusieurs particularités de vocabulaire.

b) « Qiryat-Arba », en fait « ville des quatre », c'est-à-dire des quatre clans : Anaq et ses fils; « métropole » est une interprétation du G qui ne correspond pas à un emploi normal de l'H « père »; cf. **14** 15 où Arba est bien considéré comme un homme. Si Ahimân est un nom sémitique, les trois autres sont hourrites, cf. **3** 10; il s'agit d'une population mélangée comme on en connaît ailleurs (Ugarit et Tell Amarna), qui passa plus tard pour hittite, Gn **23** 3, etc.

c) Cf. Jg **1** 13 et **3** 9.

Nomenclature des localités de la tribu de Juda[a].

21 Villes à l'extrémité de la tribu des fils de Juda, vers la frontière d'Édom au Négeb :

Qabçéel, Arad, Yagur, 22 Qina, Dimôn, Aroër, 23 Qédesh, Haçor-Yitnân, 24 Ziph[b], Télem, Bealot, 25 Haçor-Hadatta[c], Qeriyyot-Hèçrôn (c'est-à-dire Haçor), 26 Amam, Shema, Molada, 27 Haçar-Gadda, Heshmôn[d], Bet-Pélèt, 28 Haçar-Shual, Bersabée et ses dépendances, 29 Baala, Iyyim, Éçem, 30 Eltolad, Kesil, Horma, 31 Çiqlag, Madmanna, Sânsanna, 32 Lebaot, Shilhim, En-Rimmôn. En tout, vingt-neuf[e] villes avec leurs dépendances.

---

21. « *Arad* » *d'après* **12** 14 *avec l'appui de* G[B] *et du moderne ;* ʿédèr H.

22. « *Aroër* » *d'après* 1 *S* **30** 28, *appuyé par* G[B] *et le moderne ;* ʿadeʿâdah H.

23. « *Haçor-Yitnân* » G[B] *; deux noms distincts dans* H.

28. « *et ses dépendances* » benotéha G *; «* Bizyôtyah *» H.*

32. « *En-Rimmôn* » *d'après* Ne **11** 29 *appuyé par* G[B] *; deux noms distincts dans* H.

---

a) Cette liste est très élaborée techniquement, elle annexe au pays de Juda une partie de l'ancien territoire danite, v. 33 et **19** 41, dépassant ainsi le tracé de la frontière, enfin elle témoigne d'une colonisation intense des régions désertiques, attestée par l'archéologie pour une époque assez avancée du temps des rois. Pour toutes ces raisons, il faut y voir un document administratif du royaume de Juda. On peut attribuer à Ozias l'établissement du canton du désert, vv. 61-62, cf. 2 Ch **26** 10. Ce document doit être complété par la liste de Benjamin, **18** 21-28, et celle de Siméon, **19** 1-9. On retrouve les principales divisions du royaume dans Jr **17** 26 qui néglige seulement le Désert moins peuplé, de même **32** 44; **33** 13. Cette division sert de base à Dt **1** 7 qui l'étend à l'ensemble de la Palestine en ajoutant la Araba et le bord de la mer, hors des limites du royaume de Jérusalem, cf. plus haut **9** 1; **10** 40; **11** 2, 16; **12** 8.

b) « Ziph » absent de G[B].

c) « Haçor hadatta », forme araméenne, absent des G[A]; les G[B] ont lu haçeréhèm « leurs enclos », c'est peut-être un autre nom du suivant ajouté par les Massorètes.

d) « Heshmôn » pas représenté dans G; peut-être introduit d'après Nb **33** 29 à la suite d'une dittographie partielle de Shéma.

e) Chiffre confirmé par les G. La liste de B a encore 30 noms, on peut envisager de traduire soit Baala : « sur la hauteur », soit Bealot : « sur les hauteurs ».

[33] Dans le Bas-Pays :

Eshtaol, Çorea, Ashna, [34] Zanuah, En-Gannim, Tappuah, Énam, [35] Yarmut, Adullam, Soko, Azéqa, [36] Shaarayim, Aditayim, Hag-Gedéra et ses villages : quatorze villes avec leurs villages.

[37] Çenân, Hadasha, Migdal-Gad, [38] Diléân, Ham-Miçpé, Yoqtéel, [39] Lakish, Bosqat, Églôn, [40] Kabbôn, Lahmas, Kitlish, [41] Gedérot, Bet-Dagôn, Naama, Maqqéda : seize villes avec leurs villages.

[42] Libna, Étèr, Ashân, [43] Iphtah, Ashna, Neçib, [44] Qéïla, Akzib, Maresha : neuf villes avec leurs villages.

[45][a] Éqrôn, avec les villes et les villages qui en dépendent. [46] D'Éqrôn jusqu'à la mer, tout ce qui se trouve du côté d'Ashdod, avec ses villages. [47] Ashdod avec les villes et les villages qui en dépendent, Gaza avec les villes et les villages qui en dépendent jusqu'au Torrent d'Égypte, la Grande Mer formant la frontière.

[48] Dans la Montagne :

Shamir, Yattir, Soko, [49] Danna, Qiryat-Séphèr, aujourd'hui Debir, [50] Anab, Esthemoa, Anim, [51] Goshèn, Holôn, Gilo : onze villes avec leurs villages.

[52] Arab, Duma, Eshéân, [53] Yanum, Bet-Tappuah, Aphéqa, [54] Humta, Qiryat-Arba, aujourd'hui Hébron, Çior : neuf villes avec leurs villages.

[55] Maôn, Karmel, Ziph, Yutta, [56] Yizréel, Yorqéam,

---

36. « *et ses villages* » g[e]dérotéha *G ;* « *Gedérotayim* » H.

49. « *Qiryat-Séphèr* » *G comme* **15** 15*;* « *Qiryat-Sannah* » H *contaminé par le mot précédent.*

52. « *Duma* » *d'après un témoin du G et le moderne ;* « *Rûmah* » H.

53. « *Yanûm* » *Qer appuyé par* G[A]*;* « *Yanîm* » Ket.

56. « *Yorqéam* » *d'après* 1 *Ch* 2 43 *appuyé par* G[B] *et le moderne ;* « *Yoqdéam* » H.

---

a) Les vv. 45-47 ne font pas partie du document royal dont ils n'ont pas la présentation. Ils rassemblent diverses prétentions et invasions momentanées dans la région côtière; noter l'absence d'Ascalon.

Zanuah, ⁵⁷ Haq-Qayîn, Gibéa, Timna : dix villes avec leurs villages.

⁵⁸ Halhul, Bet-Çur, Gedor, ⁵⁹ Maarat, Bet-Anôt, Elte-qôn : six villes avec leurs villages.

Teqoa, Éphrata, aujourd'hui Bethléem, Péor, Étam, Qulôn, Tatam, Sorès, Karem, Gallim, Bétèr, Manah : onze villes avec leurs villages.

⁶⁰ Qiryat-Baal, aujourd'hui Qiryat-Yéarim, et Ha-Rabba : deux villes avec leurs villages.

⁶¹ Dans le désert :

Bet-ha-Araba, Middîn, Sekaka, ⁶² Nibshân, la Ville du Sel et Engaddi : six villes avec leurs villages.

⁶³ Mais les fils de Juda ne purent chasser les Jébuséens qui habitaient Jérusalem; aussi les Jébuséens habitent-ils encore aujourd'hui Jérusalem à côté des fils de Juda*ᵃ*.

16.   ¹ La frontière des fils

La tribu d'Éphraïm *ᵇ*.   de Joseph partait du Jour-
                                dain, en face de Jéricho à
l'est, et elle montait de Jéricho dans la montagne déserte
à Béthel-Luz; ² et elle sortait de Béthel-Luz et passait
vers la frontière des Arkites*ᶜ* à Atarot; ³ elle descendait
ensuite à l'ouest vers la frontière des Yaphlétites*ᵈ* jusqu'à

---

59. « *Teqoa... Manah* » G seulement, transcriptions rétablies d'après d'autres *endroits de H, ou l'usage le plus commun de G.*
16 1 *et* 2. *G ; H corrompu.*

a) Finale de l'ancien document, cf. **16** 10, elle témoigne de prétentions de Juda sur Jérusalem; Jg **1** 21 montre les revendications concurrentes de Benjamin.

b) Les ch. **16** et **17** traitent des « fils de Joseph », considérés d'abord comme une seule unité, **16** 1-4, puis comme deux unités distinctes, **16** 5-10; **17** 7-13. Au document primitif ont été ajoutés un passage généalogique, **17** 1ᵇ-6, contenant plusieurs noms de lieux, et deux anciens récits sur la colonisation des régions montagneuses, **17** 14-18.

c) Ancienne population, cf. 2 S **15** 32.

d) Ancienne population dont un groupe s'est peut-être assimilé à Asher, 1 Ch **7** 32, 33.

la limite de Bet-Horôn-le-Bas et jusqu'à Gézer[a], d'où elle aboutissait à la mer. [4] Tel fut l'héritage[b] des fils de Joseph, Manassé et Éphraïm.

[5] Quant au territoire des fils d'Éphraïm selon leurs clans, la limite de leur héritage à l'est[c] fut Atrot-Arak jusqu'à Bet-Horôn-le-Haut [6] et aboutissait à la mer...[d] Mikmetat[e] au nord et la limite tournait à l'orient vers Taanat-Silo qu'elle franchissait à l'est en direction de Yanoah; [7] elle descendait de Yanoah à Atarot et à Naara, touchait Jéricho, pour aboutir au Jourdain. [8] De Tappuah la limite allait vers l'occident au torrent de Qana et aboutissait à la mer. Tel fut l'héritage de la tribu d'Éphraïm selon ses clans, [9] outre les villes réservées aux Éphraïmites au milieu[f] de l'héritage des fils de Manassé, toutes ces villes et leurs villages. [10] Le Cananéen habitant Gézèr ne fut point dépossédé et il demeura dans Éphraïm jusqu'aujourd'hui, assujetti à la corvée.

---

5. « *Atrot-Arak* » *d'après* v. 2 *et l'appui de* G ; « *Atrot-Addar* » H. *De même* **18** 13.

8. « *tribu d'Éphraïm* » G ; « *des fils d'Éphraïm* » H.

---

a) A partir de cette ville, habitée en fait par les Cananéens, v. 10, la ligne devient théorique et n'a plus aucune précision.

b) « Tel fut l'héritage », litt. « et reçurent leur héritage... », formule différente de **15** 20; **18** 20, etc.

c) « A l'est » : ces mots, absents du Syr, devraient être déplacés (la section annoncée va du centre à l'ouest), ou bien il faut comprendre que plusieurs mots sont perdus, représentant la section orientale de cette ligne.

d) Plusieurs mots perdus.

e) « Mikmetat » forme anormale, il n'y a pas de racine *kamat*, G[A] lit constamment « Maktôt » qu'on peut rattacher à *katat* « écraser »; H fait toujours précéder ce nom d'un article, il s'agit d'un accident de terrain et non d'une ville.

f) « Au milieu », *betôk*, différent de **9** 16, *beqèrèb*, on peut y voir pourtant le souvenir du temps où Éphraïm était une tribu inférieure à Manassé, cf. **17** 1 et Gn **48** 17-19. La colonisation effective semble être partie du pays de Manassé, déjà défriché, plus ouvert et facilement accessible au moyen d'un léger détour par le nord; de là les tribus progressèrent du nord au sud dans le pays plus âpre d'Éphraïm, cf. **17** 14 s.

La tribu de Manassé[a].   **17.** [1] Le lot marqué par le sort fut pour Manassé, car il était le premier-né de Joseph. A Makir, fils aîné de Manassé et père de Galaad, échut, comme il convenait à un homme de guerre, le pays de Galaad et de Bashân. [2] Une part fut aussi attribuée aux autres fils de Manassé, selon l'importance de leurs clans : aux fils d'Abiézer, aux fils de Héleq, aux fils d'Asriel, aux fils de Shékem, aux fils de Hépher, aux fils de Shemida : c'étaient les clans des enfants mâles de Manassé, fils de Joseph. [3] Çelophehad, fils de Hépher, fils de Galaad, fils de Makir, fils de Manassé, n'avait pas de fils, mais seulement des filles, dont voici les noms : Mahla, Noa, Hogla, Milka et Tirça. [4] Elles se présentèrent devant le prêtre Éléazar, devant Josué, fils de Nûn, et les notables : « Yahvé, dirent-elles, a ordonné à Moïse de nous attribuer un héritage parmi nos frères[b]. » On leur donna donc selon l'ordre de Yahvé un héritage parmi les frères de leur père. [5] Il échut donc à Manassé dix parts outre le pays de Galaad et de Bashân situé au delà du Jourdain. [6] Les filles de

---

a) Le v. 1[a] se continue directement par le v. 7, cf. **15** 1, 2 et **18** 11, 12. Les renseignements généalogiques de 1[b]-6 y ont été insérés, cf. Nb **26** 29-34 légèrement différent. Shékem (= Sichem), Hépher, Tirça, Noa et Hogla sont des villes, les deux dernières connues par les *ostraka* trouvés à Samarie; ces mêmes documents montrent les anciens clans, Abiézer, Héleq, Shékem et Shemida, dégradés en circonscriptions fiscales du royaume du nord. Mais déjà à l'époque ancienne, on voit ici le mélange entre le système généalogique des nomades et le système géographique des sédentaires, indice d'un certain mélange des populations. D'après Nb **36** 2, Çelophehad est rattaché à Galaad sans passer par Hépher; cette ville importante, 1 R **4** 3, a dû être introduite dans la généalogie quand le clan transjordanien est passé en Palestine et a occupé les « cinq filles », anciennes villes confédérées. L'histoire des « cinq filles » a fourni l'occasion de fixer un point de droit privé, Nb **27** et **36**.

D'après la transcription grecque Σαλπααδ on peut interpréter Çelophehad comme un nom théophore formé sur l'archaïque *Paḥad*, cf. Gn **31** 42, 53 (traduit « Parent »).

b) « Parmi » comme « au milieu de », **16** 9.

Manassé obtinrent en effet un héritage parmi ses fils. Quant au pays de Galaad, il appartenait aux autres fils de Manassé.

[7] La limite de Manassé fut, du côté d'Asher[a], Mikmetat qui est en face de Sichem, et de là à droite[b] vers Yashib sur la source de Tappuah. [8] Manassé possédait le pays de Tappuah, mais Tappuah sur la frontière de Manassé était aux fils d'Éphraïm. [9] La limite descendait au torrent de Qana (au sud du torrent étaient les villes éphraïmites, outre celles qu'avait Éphraïm au milieu des villes de Manassé, et le territoire de Manassé se trouvait au nord du torrent) et son issue était à la mer. [10] Au midi Éphraïm et au nord Manassé, limités par la mer; ils touchaient Asher au nord et Issachar à l'est. [11] Manassé eut, avec Issachar et avec Asher, Bet-Shéân et les villes qui en dépendent, Yibleam et les villes qui en dépendent, les habitants[c] de Dor et les villes qui en dépendent, les habitants de Tanak et de Megiddo et les villes qui en dépendent, les trois du Nèphèt[d]. [12] Mais, comme les fils de Manassé ne purent prendre possession de ces villes, les Cananéens réussirent à se maintenir dans ce pays. [13] Cependant lorsque les Israélites furent devenus plus forts, ils

---

17 7. « *Yashib* » *G* ; « *les habitants* » yošebé- *H.* — « *sur* » *G seulement* (*dans H, chute de* ʿal *devant* ʿen).

9. « *outre... Éphraïm* » *mots ajoutés par le traducteur, d'après* **16** 9, *pour faire un sens acceptable.*

11. *Après* « *Dor et les villes qui en dépendent* », *H ajoute* « *les habitants d'En-Dor et les villes qui en dépendent* »; *omis par G, dittographie très probable.*

---

a) « Asher » : mention incompréhensible pour laquelle les topographes anciens ne donnent pas d'explication satisfaisante. On peut conjecturer ʾèšèd comme **10** 40 « pente ».

b) C'est-à-dire au sud.

c) « Les habitants » sont les gens de Manassé établis dans ces villes cananéennes.

d) « Le Nèphèt », cf. **11** 2 (traduit « coteaux »).

assujettirent les Cananéens à la corvée*, mais ne les chassèrent point.

Les fils de Joseph pénètrent dans les bois*[b].*

¹⁴ La maison de Joseph s'adressa à Josué en ces termes : « Pourquoi ne m'as-tu assigné pour héritage qu'un seul lot, une seule part, alors que je compte une population nombreuse, tant Yahvé nous a bénis ? » ¹⁵ Josué répondit : « Si tu formes un peuple si nombreux, monte à la région boisée et défriche pour ton compte la forêt du pays des Perizzites et des Rephaïm, puisque la montagne d'Éphraïm*[c]* est trop étroite pour toi. » ¹⁶ Les fils de Joseph reprirent : « La montagne ne nous suffit pas et, en plus, tous les Cananéens qui habitent la plaine ont des chars de fer, parmi eux*[d]* ceux de Bet-Shéân et des villes qui en dépendent, et ceux de la plaine de Yizréel. » ¹⁷ Josué dit à la maison de Joseph, à Éphraïm et à Manassé : « Tu es un peuple nombreux et ta force est grande : tu n'auras pas un lot seulement, ¹⁸ mais une montagne sera ton partage; il est vrai que des bois la recouvrent, mais tu la défricheras et ses limites seront à toi. Pourtant tu chasseras le Cananéen, bien qu'il ait des chars de fer, bien qu'il soit fort. »

---

14. « *maison* » bêt *conj. d'après v.* 17 *et* **18** 5; « *les fils* » bᵉné *H et G.*

---

a) Cf. **9**.
b) Deux récits de colonisation étroitement parallèles. Dans le premier la mention des Perizzites et des Rephaïm fait penser à la Transjordanie centrale, Jg **12** 4; 2 S **18** 6, et note sur **12** 4, mais, absente du G, c'est peut-être une addition savante de H. Il s'agit de toute façon du défrichement de régions montagneuses et forestières à peine habitées avant l'arrivée des Israélites. Le premier récit, vv. 14-15, l'explique par le grand nombre des « fils de Joseph », cf. Gn **49** 25 et Dt **33** 13, le second, vv. 16-18, par la pression des Cananéens.
c) L'expression « montagne d'Éphraïm » désigne couramment l'ensemble du pays des deux tribus, par ex. 1 R **4** 8.
d) Subdivision de la « plaine » en ses deux parties naturelles.

III. DESCRIPTION DES SEPT AUTRES TRIBUS

**Opération cadastrale
pour ces sept tribus***a*.

18. ¹ Toute la communauté*b* des Israélites s'assembla à Silo où l'on dressa la Tente de Réunion*c*; tout le pays était soumis et à leur disposition. ² Mais il restait encore, parmi les Israélites, sept tribus qui n'avaient pas reçu leur héritage. ³ Josué leur dit alors : « Jusques à quand négligerez-vous d'aller prendre possession du pays que vous a donné Yahvé, le Dieu de vos pères*d* ? ⁴ Choisissez-vous trois hommes par tribu, et je les enverrai parcourir le pays et ils iront en faire la description en vue du partage, après quoi ils reviendront vers moi. ⁵ Ils diviseront le pays en sept parts. Juda restera sur son territoire au sud et ceux de la maison de Joseph resteront sur leur territoire au nord. ⁶ Vous ferez donc une description du pays, en sept parts, et vous me l'apporterez ici, que je puisse tirer au sort pour vous, devant Yahvé notre Dieu.

---

18 3. « *leur dit* » G ; « *dit aux fils d'Israël* » H.

---

a) Cette seconde introduction n'est pas absolument comparable à la première, **14** 1-5. Celle-ci était, pensons-nous, basée sur l'incipit d'un ancien document, additionné d'explications du rédacteur final. Ici le point de départ est un texte narratif, tiré sans doute d'une ancienne vie de Josué, les personnages secondaires sont passés sous silence, mais le lieu est mentionné. Il est probable que le rédacteur final a étoffé les discours de nombreuses répétitions, vv. 4, 6, 8, d'une explication sur les Lévites et les Transjordaniens, v. 7, et de précisions telles que le nombre de sept lots et l'indication d'un écrit qui serait une liste de villes, vv. 5, 6, 9, cf. Introduction.

b) Cf. **9**.

c) Seule mention de la Tente dans ce livre, avec **19** 51; c'est un trait des traditions sacerdotales, Ex, Lv, Nb, exceptionnel en Dt **31** 14. La Tente installée à Silo fut plus tard remplacée par un temple, 1 S **1** 7.

d) Cf. Ex **3** 13-16; **4** 5; Dt **1** 21, etc.

⁷ Car, pour ce qui est des Lévites, ils n'ont point de part au milieu de vous : le sacerdoce de Yahvé sera leur héritage; quant à Gad, à Ruben et à la demi-tribu de Manassé, ils ont reçu leur héritage au delà du Jourdain, à l'orient, tel que Moïse, serviteur de Yahvé, le leur a donné. »

⁸ Ces hommes se mirent en route. A ceux qui allaient faire la description du pays, Josué donna cet ordre : « Allez, parcourez le pays et décrivez-le, puis venez me retrouver ici : je jetterai pour vous le sort devant Yahvé à Silo. » ⁹ Ces hommes partirent, circulèrent à travers la contrée; ils en enregistrèrent les villes en sept lots sur un écrit qu'ils apportèrent à Josué, au camp, à Silo.

¹⁰ Josué, en effet, jeta pour eux le sort à Silo devant Yahvé et c'est là que Josué partagea le pays entre les Israélites suivant leurs divisions.

¹¹ Un lot échut à la tribu **La tribu de Benjamin**ᵃ. des fils de Benjamin selon leurs clans : il se trouva que leur territoire fut compris entre celui des fils de Juda et celui des fils de Joseph. ¹² Leur limite du côté nord partait du Jourdain, montait sur le flanc nord de Jéricho, gravissait la montagne vers l'occident et aboutissait au désert de Bet-Avènᵇ. ¹³ De là elle passait à Luz, sur le flanc de

7. « *leur héritage* » *G ;* « *son héritage* » *H.*

8. « *me retrouver ici* » *certains G ;* d'autres avec H coupent différemment : « me retrouver, et ici je... ».

9. « *apportèrent* » wayyâbi'û *G mais sans complément ;* « et ils vinrent » wayyâbo'û *H.*

a) Les frontières de Benjamin sont celles qu'on a déjà vues, **15** 5-9 et **16** 1-3, avec quelques variantes accidentelles. La liste des villes réparties en deux cantons, vv. 21-28, est la suite du document royal de **15** 21-63, au total 12 cantons si on ne compte pas **15** 45-47. L'extension en pays éphraïmite, avec Béthel, Ophra, Ophni, et Çemarayim, peut être attribuée au temps de Josias, ou peut-être même au retour de l'exil, une telle liste pouvant être restée en usage pendant longtemps.

b) Surnom du haut-lieu de Béthel, Os **10** 5 : « Maison de néant ».

Luz au midi, aujourd'hui Béthel; elle descendait à Atrot-
Arak sur la montagne qui est au midi de Bet-Horôn-le-Bas.
[14] La limite s'infléchissait et tournait, face à l'ouest, vers
le midi, depuis la montagne qui est en face de Bet-
Horôn au midi pour aboutir vers Qiryat-Baal, aujour-
d'hui Qiryat-Yéarim, ville des fils de Juda. Tel était le
côté ouest. [15] Voici le côté sud : depuis l'extrémité de
Qiryat-Yéarim la limite allait vers Gasîn et sortait près
de la source des eaux de Nephtoah; [16] puis elle aboutissait
à l'extrémité de la montagne faisant face à la vallée de
Ben-Hinnom, au nord de la plaine des Rephaïm, elle descendait dans la vallée de Hinnom par le flanc du Jébuséen
au sud et atteignait En-Rogel. [17] Elle s'infléchissait ensuite
vers le nord pour aboutir à En-Shémesh et sortait aux
cercles de pierres qui sont placés en face de la montée
d'Adummim, et à la Pierre de Bohân fils de Ruben; [18] elle
passait ensuite sur le flanc nord de Bet-ha-Araba et descendait vers la Araba, [19] pour atteindre le flanc de Bet-
Hogla au nord. Le point d'arrivée de la limite était la baie
de la mer du Sel au nord, à l'extrémité méridionale du
Jourdain. Telle fut la limite sud. [20] Le Jourdain constitua
la limite du côté de l'orient. Tel fut l'héritage des fils de
Benjamin avec les limites qui le circonscrivent, selon leurs
clans.

Villes de Benjamin. [21] Les villes de la tribu des
fils de Benjamin, selon leurs
clans, furent Jéricho, Bet-
Hogla, Émèq-Qeçiç; [22] Bet-ha-Araba, Çemarayim, Béthel;
[23] Avvim, Para, Ophra; [24] Kephar-ha-Ammoni, Ophni,
Gaba : douze villes et leurs villages. [25] Gabaôn, Rama,
Béérot; [26] Miçpé, Kephira, Moça; [27] Réqem, Yirpéel,

---

15. « *Gasîn* » G ; « *vers la mer* » yâmmah *de H n'a pas de sens, cf.* 15 9.
18. « *Bet-ha-Araba* » G ; « *du côté de la Araba* » mûl-ha-'ărâbah *H.*

Taréala ; [28] Çéla-ha-Éleph, Jérusalem, Gibéa et Qiryat :
quatorze villes avec leurs villages. Tel fut l'héritage des
fils de Benjamin, selon leurs clans.

La tribu de Siméon[a].

19. [1] Le deuxième lot
marqué par le sort échut à
Siméon, à la tribu des fils
de Siméon, selon leurs clans : leur héritage se trouva au
milieu[b] du lot des fils de Juda. [2] Ils eurent en partage Bersabée, Shèba, Molada ; [3] Haçar-Shual, Bala, Éçem ; [4] Eltolad, Betul, Horma ; [5] Çiqlag, Bet-ham-Markabot, Haçar-
Susa[c] ; [6] Bet-Lebaôt et Sharuhén : treize[d] villes et leurs
villages ; [7] En-Rimmôn, Étèr et Ashân : quatre[e] villes et
leurs villages. [8] A cela s'ajoutent donc tous les villages
situés aux environs de ces villes jusqu'à Baalat-Béèr,
Ramat du Négeb. Tel fut l'héritage de la tribu des fils de
Siméon selon leurs clans. [9] L'héritage des fils de Siméon
fut pris sur le lot des fils de Juda, parce que la part des

---

28. « *Jérusalem* ». *Avant ce mot le texte met une glose :* « *et le Jébuséen, c'est* » ;
G compte en conséquence 13 villes et non 14.
19 7. « *En-Rimmôn* » *G*[B], *cf.* **15** 26 ; *deux noms distincts dans H.*

---

a) D'après les textes les plus anciens, Siméon n'avait pas de territoire
propre, Gn **49** 7. Au temps de David, cette tribu ne joue aucun rôle dans
le territoire qui lui est assigné ici, 1 S **30**. Mais il semble qu'elle fut recons-
tituée au temps des rois avec quelques familles restantes et peut-être des
apports étrangers, 1 Ch **4** 24-42, où se trouve un doublet de notre liste.
La présence de deux tribus sur le même territoire peut s'expliquer par la
dualité des genres de vie, l'une surtout nomade et l'autre surtout séden-
taire (cf. *Géographie*, pp. 57, 77, 146, 158 et 159). De toute façon, la liste, subdi-
visée en deux cantons, est de la même série que celles de Juda et de Benjamin.
b) « Au milieu », cf. **16** 9 ; **17** 4.
c) Bet-ham-Markabot et Haçar-Susa : deux noms du temps des rois,
« Maison des chars » et « Enclos de la Jument », cf. 1 R **10** 26-29.
d) « Treize » : tous les textes d'accord ; en fait il y a un nom de trop, il
faut éliminer Shèba absent de 1 Ch **4**, qui peut n'être qu'une répétition de
la finale du précédent.
e) « Quatre » : tous les textes d'accord ; G[B] ajoute « Thalka », appuyé par
« Tokèn » de 1 Ch **4**, peut-être fautif pour « Télem » de **15** 24.

fils de Juda était trop grande pour eux; ce fut donc au milieu de l'héritage des fils de Juda que les fils de Siméon reçurent le leur.

La tribu de Zabulon[a].   [10] Le troisième lot échut aux fils de Zabulon, selon leurs clans : le territoire de leur héritage s'étendait jusqu'à Sadud, [11] leur limite montait à l'occident vers Maraala et touchait à Dabbeshèt et puis au torrent qui est en face de Yoqnéam. [12] D'autre part la limite allait de Sadud à l'est, où le soleil se lève, jusqu'à la limite de Kislot-Tabor, se dirigeait vers Daberat et montait à Yaphia[b]. [13] De là, elle continuait, vers l'est où le soleil se lève, sur Gat-Héphèr[c] et sur Itta-Qaçîn, sortait vers Rimmôn et tournait vers Néa. [14] Alors la limite du côté nord se tournait vers Hannatôn et son issue conduisait à la vallée de Yiphtah-El. [15] De plus, Qattat, Nahalal, Symoôn, Yiréala, et Bethléem : douze villes[d] avec leurs villages. [16] Tel fut l'héritage des fils de Zabulon, selon leurs clans : ces villes et leurs villages.

10, 12. « *Sadud* » *d'après* G *et le moderne ;* « *Sârid* » H.

13. « *Rimmôn et tournait* » rimmônah w[e]tâ'ar *conj.*; Rimmôn ham-m[e]to'ar *de* H *n'a pas de sens.*

15. « *Symoôn* » *cf.* **11** 1.

15. « *Yiréala* » yire°älah *quelques Mss,* G[B] *et Vers.*; yide°älah H *courant et* G[A].

---

a) Avant d'occuper le territoire décrit ici, Zabulon avait occupé le voisinage de Sidon, Gn **49** 13.

b) « Yaphia » mot déplacé, la topographie le situe entre Kislot-Tabor et Sadud.

c) « Gat-Héphèr » H seulement; G[A] dit « Gat »; les autres corrompus. H veut identifier la ville de Jonas, **1** 1 et 2 R **14** 25, et c'est passé dans les talmudistes; mais il faut la chercher dans le nord-ouest de la Samarie, Jos **17** 5; 1 R **4** 10, avec l'appui d'une liste égyptienne et du moderne Jatt.

d) « Douze villes » : indication omise dans les G ; elle ne tient pas compte du v. 15 et doit lui être antérieure.

¹⁷ Le quatrième lot sortit
La tribu d'Issachar.　　pour Issachar, pour les fils
d'Issachar, selon leurs clans.
¹⁸ Leur territoire s'étendit jusqu'à Yizréel et comprit
Kesullot et Shunem; ¹⁹ Hapharayim, Shiôn, Anaharat;
²⁰ Daberat, Qishyôn, Ébeç; ²¹ Rémèt et En-Gannim,
En-Hadda et Bet-Paççèç. ²² La limite touchait à Tabor
et à Shahaçima et à Bet-Shémesh, et l'issue de la limite
touchait au Jourdain : seize villes^a avec leurs villages.
²³ Tel fut l'héritage de la tribu des fils d'Issachar, selon
leurs clans : les villes et leurs villages.

²⁴ Le cinquième lot sortit
La tribu d'Asher^b.　　pour la tribu des fils d'Asher,
selon leurs clans. ²⁵ Leur ter-
ritoire comprit : Helqat, Hali, Bétèn, Akshaph, ²⁶ Alam-
mélek, Améad, Mishéal, et il touchait au Carmel à l'ouest
et au cours du Libnat; ²⁷ de l'autre côté il allait à l'orient
jusqu'à Bet-Dagôn et touchait Zabulon, et la vallée de
Yiphtah-El au nord, et plus loin Bet-ha-Émeq et Néïel,
aboutissant vers Kabul. Il comptait au nord ²⁸ Abdôn,
Rehob, Hammôn et Qana jusqu'à Sidon-la-Grande. ²⁹ La
limite revenait vers Rama et jusqu'à la place forte de Tyr,

---

20. « *Daberat* » *d'après v.* 12 *et* **21** 28, *et l'appui de* G^B *;* « *Ha-Rabbît* » H.
27. « *et plus loin* » G *seulement qui harmonise, il y a une coupure dans le texte.*
28. « *Abdôn* » *d'après* **21** 30 *et* 1 *Ch* **6** 58 *et l'appui de* G^B *;* 'ebron H.

---

a) « Seize villes » : indication absente de G, exacte si on compte le Tabor
pour une ville, ce qu'il fut en effet, au moins aux époques tardives.

b) Texte composite. Une liste, vv. 25-26, indication sommaire d'un
contact avec Zabulon, v. 27^a; ces deux parties pourraient correspondre
à ce qui resta dans le royaume après Salomon, 1 R **9** 11-13. Un élément de
frontière avec Nephtali pris du nord au sud, v. 27^b, une liste, v. 28, la
frontière de Tyr, v. 29, une autre liste, vv. 29-30; tout ceci compilé au
moyen de souvenirs et de renseignements divers, en fonction de Jg **1** 31
et 2 S **24** 7.

et jusqu'à Hosa, et avait ses issues vers la mer. Mahaleb, Akzib, [30] Akko, Aphèq, Rehob : vingt-deux villes[a] avec leurs villages. [31] Tel fut l'héritage de la tribu des fils d'Asher, selon leurs clans : ces villes et leurs villages.

[32] Pour les fils de Nephtali

La tribu de Nephtali. sortit le sixième lot, pour les fils de Nephtali, selon leurs clans. [33] Leur frontière allait de Héleph et du Chêne de Çanaannim à Adami-han-Nèqèb[b], à Yabnéel jusqu'à Laqqum, et aboutissait au Jourdain. [34] La limite à l'ouest passait à Aznot-Tabor et aboutissait de là à Huqqoq, elle touchait Zabulon au sud, Asher à l'occident et le Jourdain à l'orient. [35] Et les villes fortes étaient Çiddim, Çer[c], Hammat, Raqqat, Kinnérèt; [36] Adama, Rama, Haçor; [37] Qédesh, Édréï, En-Haçor; [38] Yireôn, Migdal-El, Horem, Bet-Anat, Bet-Shémesh : dix-neuf[d] villes et leurs villages. [39] Tel fut l'héritage des fils de Nephtali selon leurs clans, les villes et leurs villages.

---

29. « *Mahaleb* » *d'après un texte assyrien et le moderne* ; « *Méhèbel* » *H*. — « *Akzib* » *G* ; « *Akzîbah* » *H*.

30. « *Akko* » *d'après Jg* **1** *31 et l'appui de G*[B] ; 'umah *H*.

34. « *et le Jourdain* » *G* ; « *et en Juda le Jourdain* » *H*, *résulte d'une dittographie*.

---

a) « Vingt-deux villes » : indication absente de G[B], exacte si on a soin de ne pas compter Tyr et Sidon, mais en fait, Hosa était la banlieue continentale de Tyr et n'en était pas séparée.

b) Nèqèb est un mot arabe, ajouté tardivement pour distinguer de l'autre Adama du v. 26, il signifie « col » et convient à la topographie.

c) « Çiddim, Çer »; le G Τῶν Τυρίων Τύρος témoigne de la forme plus normale Çûrim : « les roches »; le second mot peut alors n'être qu'une répétition.

d) « Dix-neuf » H et G[A], en fait vingt-trois villes, une partie des noms des vv. 35-38 a dû être ajoutée après ce compte, cf. v. 15. Haçor doit être une addition du temps des rois, cf. **11** 1; 1 R **9** 15, mais les rédacteurs ont évité d'inclure Abel-Bet-Maaka et Iyyôn, cf. 2 R **15** 29, qu'ils ont sans doute jugées trop éloignées.

La tribu de Dan[a].

⁴⁰ Pour la tribu des fils de Dan, selon leurs clans, sortit le septième lot. ⁴¹ Le territoire de leur héritage comprit : Çorea, Eshtaol, Ir-Shémesh[b]; ⁴² Shaalbim, Ayyalôn, Silata; ⁴³ Élôn, Timna, Éqrôn, ⁴⁴ Elteqé, Gibbetôn, Baalat; ⁴⁵ Azor, Bené-Beraq, Gat-Rimmôn; ⁴⁶ et vers la mer Yerakôn avec le territoire en face de Joppé.

⁴⁷ Mais le territoire des fils de Dan leur échappa : aussi les fils de Dan montèrent-ils pour attaquer Lèshem dont ils s'emparèrent et qu'ils passèrent au fil de l'épée. S'étant approprié la ville, ils s'y établirent et appelèrent Lèshem : Dan, du nom de leur ancêtre, Dan[c].

⁴⁸ Tel fut l'héritage de la tribu des fils de Dan, selon leurs clans : ces villes et leurs villages.

⁴⁹ Ainsi furent achevés le tirage au sort du pays et sa répartition[d]. Et les Israélites donnèrent à Josué, fils de

---

42. « *Shaalbim* » *d'après* Jg **1** 35 *et* 1 R **4** 9; ša'alabîn *H, aramaïsant.* — « *Silata* » G[B] *et le moderne ; «* Yitlah *» H.*

43. « *Élôn* » *mêmes consonnes que «* Ayyalôn *», mal différencié par les* G ; *dittographie possible.* — « *Timna* » G[A] *et Vers. et* **15** 10; tim[e]natah *H forme aramaïsante.*

45. « *Azor* » G[B] *et un texte assyrien, auj.* Iazûr ; y[e]hud *H est une interprétation suivant un autre toponyme de la même région, forme aramaïsante.*

46. « *et vers la mer Yerakôn* » ûmiy-yâm y[e]rakôn G[AB] ; « *et les eaux du Yarkôn et le Raqqôn* » ûmê-hay-yarqôn w[e]ha-raqqôn *H ; sans appui chez les topographes anciens.*

---

a) La liste de Dan se loge exactement entre les frontières de Juda, Benjamin et Éphraïm, mais elle s'étend largement en pays cananéen, et il ne semble pas que cette tribu ait jamais été maîtresse du territoire qu'elle habitait, cf. Jg **1** 34-35; **13-16**; **18**, sinon peut-être dans le petit groupe formé par Çorea et Eshtaol.

b) Identique à Bet-Shémesh de **15** 10.

c) Finale du vieux document tribal, elle prend ici un développement exceptionnel, cf. **15** 63; **16** 10; **17** 12. G donne d'abord le v. 48, puis insère v. 47 dans une notice parallèle à Jg **1** 34, 35.

d) Finale générale du document géographique. Le rédacteur y rassemble

Nûn, un héritage au milieu d'eux; [50] sur l'ordre de Yahvé,
ils lui donnèrent la ville qu'il avait demandée pour lui,
Timnat-Sérah, dans la montagne d'Éphraïm : il rebâtit
la ville et s'y fixa.

[51] Telles sont les parts d'héritage que le prêtre Éléazar,
Josué, fils de Nûn, et les chefs de famille répartirent par
le sort entre les tribus d'Israël à Silo, en présence de Yahvé,
à l'entrée de la Tente de Réunion; et ainsi fut terminé le
partage du pays.

* * *

IV. Villes privilégiées

Les villes de refuge[a].

20. [1] Yahvé dit à Josué :
[2] « Parle aux Israélites et dis-
leur : Donnez-vous les villes
de refuge[b] dont je vous ai parlé par l'intermédiaire de
Moïse, [3] où pourra s'enfuir le meurtrier coupable d'homicide par inadvertance[c] (involontairement)[d] et qui vous

---

les renseignements de **14** 1 et **18** 1, sans tenir compte de la mention de
Gilgal insérée en **14** 6. On trouvera dans les bénédictions de Jacob, Gn **49**,
et dans celles de Moïse, Dt **33**, une idée de l'estime que portaient les Israélites à ces diverses parties de leur territoire.

a) Toute l'antiquité a connu des villes dotées du droit d'asile. Pour Israël,
les lois relatives à cette institution se trouvent d'abord en Dt **19** 1-13 où
le jugement est remis aux anciens de la ville du meurtrier, ce qui témoigne
d'une faible centralisation. Dans Nb **35** 11-28, c'est la communauté (cf. **9**)
tout entière qui juge. De toute façon, l'asile n'est jamais au-dessus d'un
jugement régulier. Les sanctuaires étaient également lieu d'asile, 1 R **1** 50-51,
et les rois se réservèrent de juger en dernier appel ce genre d'affaires,
2 S **14** 4-21. La comparaison entre l'hébreu de notre ch. et le G[B]
montre dans H des additions étendues, qu'on a mises entre parenthèses.
Elles sont tirées, parfois mot pour mot, de Dt **19** ou de Nb **35**, mais le fond
primitif dépend uniquement de Nb.

b) « Refuge », *miqlât,* terme technique utilisé seulement dans Nb.

c) « Où pourra... inadvertance » calqué sur Nb **35** 11; le dernier mot
šegâgah est de style sacerdotal, Lv **4** 2, etc.

d) « Involontairement », Dt **19** 4.

serviront d'asile contre le vengeur du sang[a]. [4] (C'est donc
vers l'une de ces villes que le meurtrier devra s'enfuir :
il s'arrêtera à l'entrée de la porte de la ville et exposera
son cas aux anciens du lieu. Ceux-ci l'admettront dans
leur ville et lui assigneront une demeure pour qu'il habite
parmi eux. [5] Si le vengeur du sang le poursuit, ils ne le
livreront pas entre ses mains, car c'est involontairement
qu'il a frappé son prochain, sans avoir eu auparavant de
haine contre lui[b]. [6] Le meurtrier devra rester dans cette
ville) jusqu'à ce qu'il comparaisse en jugement devant la
communauté(, jusqu'à la mort du grand prêtre en fonctions à cette époque. Alors seulement le meurtrier pourra
retourner dans sa ville et sa maison, dans la ville d'où il
s'est enfui[c]). »

[7] On consacra donc à cet effet Qédesh en Galilée, dans
la montagne de Nephtali, Sichem dans la montagne
d'Éphraïm, Qiryat-Arba, aujourd'hui Hébron, dans la
montagne de Juda. [8] De l'autre côté du Jourdain en
face de Jéricho à l'orient, on désigna dans le désert, sur
le plateau, Béçèr de la tribu de Ruben, Ramot-Galaad
de la tribu de Gad, et Golân en Bashân de la tribu de
Manassé. [9] Telles furent les villes désignées à tous les
Israélites ainsi qu'à l'étranger qui réside parmi eux, pour
qu'y pût fuir quiconque aurait commis un homicide par

---

20 8. « *Golân* » *Qer et Dt* **4** 43 ; « *Golôn* » *Ket, de même* **21** 27.

---

a) Le « vengeur du sang », *go'êl had-dam,* c'est celui qui a qualité pour
agir en lieu et place d'un membre de sa famille. Soit pour le venger,
2 S **14** 11, soit pour le tirer de la pauvreté ou de l'esclavage, Lv 25 25-48.
Dans Ruth, le goél joue en même temps le rôle du *lévir,* Dt 25 5-10.

b) « Car c'est... contre lui » d'après Dt 4 42 et 19 4.

c) « Jusqu'à la mort... enfui » d'après Nb **35** 28. L'investiture du grand
prêtre était l'occasion d'un sacrifice exceptionnel pour les péchés involon-
taires du peuple, Lv **9** 3, 7, 15.

inadvertance, et qu'il échappât à la main du vengeur du sang, avant de comparaître devant la communauté.

Les villes lévitiques [a]. **21.** [1] Alors les chefs de famille des Lévites s'en vinrent trouver le prêtre Éléazar [b], Josué, fils de Nûn, et les chefs de famille des tribus d'Israël, [2] alors qu'on se trouvait à Silo au pays de Canaan, et leur dirent : « Yahvé, par l'intermédiaire de Moïse, a ordonné qu'on nous cédât des villes pour y demeurer, et leurs pâturages [c] pour notre bétail. » [3] Les Israélites donnèrent donc aux Lévites, sur leur héritage, en vertu de l'ordre de Yahvé, les villes en question avec leurs pâturages.

[4] On tira au sort pour les clans des Qehatites : aux Lévites, fils du prêtre Aaron, échurent treize villes des tribus de Juda, de Siméon et de Benjamin; [5] les autres fils de Qehat obtinrent, selon leurs clans, dix villes des tribus d'Éphraïm,

---

21 5 et 6. « *selon leurs clans* » lemišpeḥotâm mimmaṭṭeh *conj. d'après un Targ et le v.* 7; « *des clans de la tribu...* » mimmišpeḥot maṭṭeh H.

---

a) L'institution des villes lévitiques est ancienne, 1 S **21** 2; **22** 9-19, mais la liste donnée ici est probablement le témoin d'une réorganisation profonde sous David ou Salomon. On remarquera son caractère systématique, quatre villes par tribu, sauf trois pour Nephtali et neuf pour Juda et Siméon. On notera aussi l'absence de sanctuaires anciens, Béthel, Silo, Gilgal. Enfin de nombreuses villes sont restées longtemps cananéennes : Gézer, Tanak, Yibleam, Qarta d'après sa situation qui en fait une dépendance de Dor, et Nahalal, ainsi que les quatre villes attribuées à Dan par un archaïsme volontaire, cf. Jg **1** 27-35. D'autre part, si Mahanayim est attribuée à Gad et non à Manassé, c'est sans doute qu'elle avait perdu tout caractère tribal, cf. 1 R **4** 13. Le texte parallèle de 1 Ch **6** 39-66 présente avec le nôtre des différences accidentelles, mais en éliminant deux villes de Dan, et en rattachant les deux autres à Éphraïm, il semble tenir compte de pertes subies après la séparation des deux royaumes. Ce ch. est de style sacerdotal.

b) Cf. **19** 51.

c) « Pâturage », migrâš, terme technique inusité en dehors de ce contexte (sauf 1 Ch **5** 16); par son étymologie, il a le même sens que l'ordinaire midbâr « désert ».

de Dan et de la demi-tribu de Manassé. ⁶ Aux fils de Gershôn, selon leurs clans, échurent treize villes des tribus
d'Issachar, d'Asher, de Nephtali et de la demi-tribu de
Manassé en Bashân. ⁷ Aux fils de Merari, selon leurs clans,
échurent douze villes des tribus de Ruben, de Gad et de
Zabulon.

⁸ Les Israélites donnèrent par le sort aux Lévites ces
villes et leurs pâturages, comme l'avait ordonné Yahvé
par l'intermédiaire de Moïse.

Part des Qehatites. ⁹ Ils donnèrent de la tribu
de Juda et de la tribu de Si-
méon les villes dont les noms
suivent; ¹⁰ ce fut la part des fils d'Aaron, appartenant aux
clans des Qehatites, des fils de Lévi : car le premier lot
était pour eux. ¹¹ Ils leur donnèrent Qiryat-Arbaᵃ, métropole des Anaqim, aujourd'hui Hébron, dans la montagne
de Juda, avec les pâturages environnants. ¹² Mais la campagne de cette ville avec ses villages, ils les donnèrent en
propriété à Caleb, fils de Yephunné. ¹³ Aux fils du prêtre
Aaron ils donnèrent la ville de refuge pour les homicides
Hébron et ses pâturages, ainsi que Libna et ses pâturages,
¹⁴ Yattir, Eshtemoa, ¹⁵ Holôn, Debir, ¹⁶ Ashân, Yutta,
Bet-Shémesh, avec leurs pâturages respectifs : neuf villes
prises sur ces deux tribus. ¹⁷ De la tribu de Benjamin,
Gabaôn, Géba et leurs pâturages, ¹⁸ Anatot, Almôn et

7. « échurent » G seulement.

9. « les villes » G et versions ; « ces villes » H.

13. « refuge pour les homicides », cf. **20** 2; de même dans la suite, vv. 21, 32, 36, 38, abrégés.

14. « Yattir ». Le texte ajoute après chaque nom « et ses pâturages », que la traduction condense au v. 16, et de même dans la suite.

16. « Ashân » G et 1 Ch 6 44; ʿayîn H.

a) « Qiryat-Arba », cf. **15** 13.

---

leurs pâturages : quatre villes. [19] Total des villes des prêtres fils d'Aaron[a] : treize villes et leurs pâturages.

[20] Aux clans des fils de Qehat, aux Lévites qui restaient parmi les fils de Qehat, le sort assigna des villes de la tribu d'Éphraïm. [21] On leur donna la ville de refuge Sichem avec ses pâturages, dans la montagne d'Éphraïm, ainsi que Gézer, [22] Qibçayim, Bet-Horôn, avec leurs pâturages respectifs : quatre villes. [23] De la tribu de Dan, Elteqé, Gibbetôn, [24] Ayyalôn, Gat-Rimmôn, avec leurs pâturages : quatre villes. [25] De la demi-tribu de Manassé, Tanak et Yibleam et leurs pâturages : deux villes. [26] Total : dix villes avec leurs pâturages pour les clans qui restaient des fils de Qehat[b].

Part des fils de Gershôn.

[27] Aux fils de Gershôn, de clans lévitiques, on donna de la demi-tribu de Manassé la ville de refuge Golân en Bashân et Ashtarot avec leurs pâturages : deux villes. [28] De la tribu d'Issachar, Qishyôn, Daberat, [29] Yarmut[c], En-Gannim avec leurs pâturages : quatre villes. [30] De la tribu d'Asher, Mishéal, Abdôn, [31] Helqat, Rehob avec leurs pâturages respectifs : quatre villes. [32] De la tribu de Nephtali, la ville de refuge Qédesh en Galilée, Hammot-

---

25. « *Yibleam* » conj. d'après 1 Ch **6** 55 appuyé par G ; H répète : « *Gat-Rimmôn* ».

27. « *Ashtarot* » conj. d'après 1 Ch **6** 56; be'èšterah H ; G diffèrent.

---

a) Les fils d'Aaron sont groupés dans les deux tribus qui entourent Jérusalem, indice d'une distribution contemporaine du Temple. En Benjamin, Nob n'existe plus. En Juda la majorité des villes se trouve entre les vieux sanctuaires d'Hébron et de Bersabée : on a dû vouloir garder autant que possible l'assiette géographique de l'institution.

b) Les fils de Qehat ont l'ancien pays patriarcal de Bersabée à Sichem, les autres lévites ont les régions périphériques.

c) Identique à Rémèt de **19** 21, G[B].

Dor[a], Qartân avec leurs pâturages respectifs : trois villes.
[33] Total des villes des Gershonites, selon leurs clans :
treize villes et leurs pâturages.

Part des fils de Merari. [34] Aux clans des fils de Merari, au reste des Lévites, échurent de la tribu de Zabulon : Yoqnéam, Qarta, [35] Rimmôn, Nahalal et leurs pâturages respectifs : quatre villes ; [36] au delà du Jourdain, de la tribu de Ruben la ville de refuge Béçèr dans le désert, sur le plateau, Yahaç, [37] Qedemot, Mephaat avec leurs pâturages respectifs : quatre villes. [38] De la tribu de Gad la ville de refuge Ramot-Galaad, Mahanayim, [39] Heshbôn, Yazèr et leurs pâturages respectifs : quatre villes. [40] Total des villes assignées par le sort aux fils de Merari selon leurs clans, au reste des clans lévitiques : douze villes.

[41] Le nombre total des villes cédées aux Lévites au milieu du domaine israélite se montait à quarante-huit avec leurs pâturages. [42] Ces villes comprenaient, en chaque cas, la ville et ses pâturages alentour. Il en allait ainsi pour toutes les villes mentionnées.

Conclusion du partage[b]. [43] Ce fut de la sorte que Yahvé donna aux Israélites tout le pays qu'il avait juré de donner à leurs pères. Ils en prirent possession et s'y établirent. [44] Yahvé leur procura le repos sur toutes leurs frontières, tout comme il l'avait juré à leurs pères et, de

---

35. « *Rimmôn* » conj. d'après 1 Ch **6** 62 et Jos **19** 13 ; « *Dimnah* » H.

36-37. *Versets omis par H et donnés d'après G et le syriaque, rectifiés d'après* 1 Ch **6** 63-66.

39. « *quatre villes* » Vers. ; « *toutes villes quatre* » H et G.

a) La mention de Dor n'est pas appuyée par G[B] ni par 1 Ch **6** 61.

b) Conclusion générale de la section géographique par le deutéronomiste, cf. **1** 6-15 ; **10** 8 ; 1 R **8** 56 ; 2 R **10** 10.

tous leurs ennemis, aucun n'avait réussi à leur tenir tête. Tous leurs ennemis, Yahvé les avait livrés entre leurs mains. [45] De toutes les promesses que Yahvé avait faites à la maison d'Israël aucune ne manqua son effet. Tout se réalisa.

III

FIN DE LA CARRIÈRE DE JOSUÉ

I. Retour des tribus orientales. La question de leur autel[a]

Renvoi du contingent transjordanien[b].

22. [1] Alors Josué convoqua les Rubénites, les Gadites et la demi-tribu de Manassé [2] et leur dit : « Vous avez observé tout ce que Moïse, serviteur de Yahvé, vous a ordonné, et vous avez écouté ma voix chaque fois que je vous ai donné un ordre. [3] Vous n'avez pas abandonné vos frères malgré la longueur de cette campagne[c] qui a duré jusqu'à ce jour, accomplissant à la lettre[d] le comman-

---

a) Ce ch. est basé sur une tradition indépendante où Josué ne joue aucun rôle, tandis qu'intervient Pinhas fils d'Éléazar (cf. Nb **25** 7; **31** 6); les événements doivent se situer à un moment indéterminé du temps des Juges. Ils ont donné l'occasion de développements de style sacerdotal, vv. 9-34. Le deutéronomiste y ajoute le discours de Josué, vv. 1-8, qui sert de conclusion à l'histoire des tribus transjordaniennes, **1** 12-18.

b) Cf. **1** 2-17; Dt **6** 2-5; **9** 16; **10** 20.

c) Litt. « c'est de longs jours », peut-être une explication passée dans le texte.

d) Addition de deux expressions courantes : *šamar 'et mišmèrèt* « prendre la faction » (2 R **11** 5-7), très usitée au figuré en style sacerdotal, absente de G, et *šamar 'èt miṣwah* « garder le commandement », fréquente chez les deutéronomistes.

dement de Yahvé votre Dieu. ⁴ Maintenant Yahvé votre Dieu a procuré à vos frères le repos qu'il leur avait promis. Retournez donc à vos tentes, au pays dont Moïse, serviteur de Yahvé, vous a mis en possession au delà du Jourdain. ⁵ Seulement, prenez bien soin de mettre en pratique les commandements et la Loi que Moïse, serviteur de Yahvé, vous a donnés : d'aimer Yahvé votre Dieu, de suivre toujours ses voies, d'observer ses commandements, de vous attacher à lui et de le servir de tout votre cœur et de toute votre âme. »

⁶ Josué les bénit et les congédia; ils s'en allèrent à leurs tentes. ⁷ Moïse avait donné à une moitié de la tribu de Manassé un territoire en Bashân; à la seconde moitié, Josué en donna un autre au milieu de ses frères sur la rive occidentale du Jourdain. Comme il les renvoyait à leurs tentes Josué les bénit : ⁸ « Vous retournerez à vos tentes, leur dit-il, avec de grandes richesses*ᵃ*, du bétail à foison, de l'argent, de l'or, du bronze, du fer et des vêtements en très grande quantité; partagez*ᵇ* avec vos frères les dépouilles de vos ennemis. »

Érection d'un autel sur le bord du Jourdain.

⁹ Rubénites et Gadites s'en retournèrent avec la demi-tribu de Manassé et quittèrent les Israélites à Silo, dans le pays de Canaan, pour regagner le pays de Galaad, territoire qui leur appartenait et où ils s'étaient établis suivant l'ordre de Yahvé transmis par Moïse. ¹⁰ Lorsqu'ils furent arrivés aux cercles de

22 5. « *les commandements* » G et Dt **6** 2; « *le commandement* » H.
7. « *sur la rive* » bᵉ'ébèr *Qer* et Gᴮ ; « *de la rive* » mè-'éber *Ket.*

a) « Richesses », *nᵉkâsîm,* mot rare et tardif, Qo **5** 18; 2 Ch **1** 11; cf. **6** 18, les lois sur l'anathème.
b) Cf. 1 S **30** 25; Nb **31** 27.

pierres*a* du Jourdain qui sont encore en terre cananéenne, les Rubénites, les Gadites et la demi-tribu de Manassé bâtirent là un autel sur le bord du Jourdain, un autel de grande apparence.

¹¹ Le fait parvint aux oreilles des Israélites. Voici, disait-on, que les Rubénites, les Gadites et la demi-tribu de Manassé ont construit cet autel, du côté du pays de Canaan, vers les cercles de pierres du Jourdain, sur la rive des Israélites.

¹² A cette nouvelle, toute la communauté des enfants d'Israël se réunit à Silo pour marcher contre eux et leur faire la guerre.

Reproches adressés aux tribus de l'Est*b*.   ¹³ Les Israélites députèrent auprès des Rubénites, des Gadites et de la demi-tribu de Manassé au pays de Galaad le prêtre Pinhas, fils d'Éléazar, ¹⁴ et avec lui dix notables, un notable chef de famille pour chaque tribu d'Israël, et chacun d'eux était chef de sa famille parmi les clans d'Israël. ¹⁵ Parvenus chez les Rubénites, chez les Gadites

---

a) « Cercle de pierres », *ge*lîlôt; G*B* et la version syriaque ont lu ou interprété avec assez de vraisemblance : « Gilgal ».

b) Trois idées se dégagent des reproches des Israélites et de la réponse des Transjordaniens, où elles sont enveloppées dans une politesse toute orientale. Ils ont bâti un autel « de grande apparence » et indépendant du sanctuaire central, mais il n'y a pas d'allusion topique à la loi sur l'unité du sanctuaire, Dt **12** 5. On leur reproche d'autre part d'avoir bâti cet autel sur la rive de Canaan, v. 10, terre sainte par excellence, où les patriarches avaient vécu, et en comparaison de laquelle tout autre pays paraît « impur », v. 19, cf. Ez **47** et déjà 2 R **5** 17 : si les Transjordaniens tiennent à demeurer en dehors de la Terre Promise, suivant la concession faite par Moïse, Nb **32**, qu'ils se contentent alors d'une situation religieuse inférieure, participant au culte commun sans avoir d'autel tribal propre; sinon, qu'ils viennent en Canaan. Enfin, dans leur réponse, les Transjordaniens se défendent d'avoir voulu se servir de leur autel, peut-être faut-il comprendre : sans avoir recours au personnel sacerdotal, ou peut-être faut-il voir ici l'influence directe de la loi deutéronomique. De ces idées, la seconde est probablement la plus primitive.

et dans la demi-tribu de Manassé au pays de Galaad, ils leur parlèrent ainsi :

16 « Voici ce que vous fait dire[a] toute la communauté de Yahvé : Que signifie cette infidélité que vous avez commise envers le Dieu d'Israël ? Pourquoi vous détournez-vous aujourd'hui de Yahvé en vous bâtissant un autel, ce qui est aujourd'hui une rébellion contre Yahvé ?

17 « N'était-ce donc pas assez du crime de Péor, dont nous n'avons pas encore réussi à nous purifier jusqu'à présent, en dépit du fléau[b] qui a sévi contre la communauté de Yahvé ? 18 Donc, puisque vous renoncez aujourd'hui à suivre Yahvé et qu'il vous arrive aujourd'hui de vous révolter contre lui, demain sa colère s'enflammera contre toute la communauté d'Israël.

19 « Votre domaine est-il impur[c] ? Passez dans le domaine de Yahvé, là où s'est fixée sa demeure[d], et élisez domicile parmi nous. Mais ne vous révoltez pas contre Yahvé et ne nous entraînez pas dans votre rébellion en vous bâtissant un autel rival de l'autel de Yahvé notre Dieu. 20 Lorsque Akân, fils de Zérah, eut prévariqué dans l'affaire de l'anathème, la Colère n'atteignit-elle pas la communauté entière d'Israël quoiqu'il ne fût qu'un seul individu ? Ne dut-il pas mourir[e] pour son crime ? »

---

18. « *sa colère s'enflammera* » yihyèh qèṣèp *G et Vers. et v.* 20; « *il sera en colère* » yiqṣop *H.*

19. « *entraînez* » tam^eridû *conj.*; « *vous révoltez* » tim^e-rodû *H.*

---

a) Formule d'une ambassade, cf. 1 R **20** 3 dans les mêmes termes.

b) Nb **31** 16; Dt **4** 3.

c) « Impur » : impropre au culte pour quelque défaut ou tare, Lv **7** 21; 2 Ch **23** 19, etc.

d) « Sa demeure » : équivalent de la Tente de Réunion dans la littérature sacerdotale, Lv **17** 4.

e) « Mourir » : proprement « s'éteindre », Gn **25** 8, 17, cf. pour l'emploi actuel Nb **17** 27; Za **13** 8.

**Justification
des tribus
d'outre-Jourdain.**

²¹ Les Rubénites, les Ga-
dites et la demi-tribu de Manassé, prenant la parole, répondirent aux chefs des clans
d'Israël :

²² « Le Dieu des dieux*ᵃ*, Yahvé, le Dieu des dieux,
Yahvé le sait bien, et Israël doit le savoir : s'il y a eu de
notre part rébellion ou infidélité à l'égard de Yahvé, qu'il
refuse de nous sauver aujourd'hui, ²³ et si nous avons
bâti un autel pour nous détourner de Yahvé et pour y
offrir l'holocauste, l'oblation et le sacrifice de communion*ᵇ*,
que Yahvé en demande compte ! ²⁴ En vérité*ᶜ* c'est par
inquiétude et pour le motif suivant que nous avons agi.
Un jour vos fils pourraient dire aux nôtres : ' Qu'y a-t-il
de commun*ᵈ* entre vous et Yahvé, le Dieu d'Israël ?
²⁵ Yahvé n'a-t-il pas mis entre nous et vous, fils de Ruben
et fils de Gad, une limite qui est le Jourdain ? Vous n'avez
aucune part*ᵉ* sur Yahvé. ' Ainsi vos fils seraient cause que
les nôtres cesseraient de craindre Yahvé.

²⁶ « Aussi nous nous sommes dit : Construisons-nous
cet autel destiné non à des holocaustes, ni à d'autres sacrifices, ²⁷ mais à servir de témoin entre nous et vous et

---

22. « *qu'il refuse de nous sauver* » al-yôšî'énû *G* ; « *qu'elle refuse de nous sauver* » al-tôšî'énû *H*.
23. « *si nous avons bâti* » *G* ; « *en nous bâtissant* » *H*. — « *pour y offrir* » *G* ;
« *si (c'est) pour offrir* » *H*.
26. « *cet autel* » *G* ; « *l'autel* » *H*.

a) « Le Dieu des dieux » : superlatif qui ne comporte aucun polythéisme,
cf. Ps **50** 1 mêmes termes; Dt **10** 17; Dn **11** 36; c'est un archaïsme littéraire venant de Gn **33** 20; **46** 3; Nb **16** 22, où El est l'ancien nom propre
de la divinité.
b) Sur les trois sortes de sacrifices, cf. Lv **1** ; **2** ; **3**.
c) Formule de serment, cf. **14** 9.
d) Cette formule sert à écarter quelqu'un en diverses circonstances,
Jg **11** 12; 2 S **16** 10; **19** 23; 1 R **17** 18; Jn 2 4.
e) Cf. 2 S **19** 44 avec d'autres mots.

entre nos descendants après nous, attestant qu'on célébre le culte[a] de Yahvé avec nos holocaustes, nos victimes et nos sacrifices de communion en sa présence[b]. Vos fils ne pourront donc pas dire un jour aux nôtres : ' Vous n'avez aucune part sur Yahvé ! ' [28] S'il leur arrivait toutefois de tenir ce langage soit à nous-mêmes, soit, dans l'avenir, à nos descendants, nous répondrions : ' Regardez la bâtisse de l'autel de Yahvé que nos pères ont faite, non en vue d'holocaustes ou d'autres sacrifices, mais comme un témoin entre nous et vous. ' [29] Loin de nous la pensée de nous révolter contre Yahvé et d'en déserter aujourd'hui le service en érigeant, pour y offrir holocaustes, oblations ou sacrifices, un autel rival de l'autel de Yahvé notre Dieu, érigé devant sa demeure. »

Rétablissement de l'accord. [30] Quand le prêtre Pinhas, les notables de la communauté et les chefs des clans d'Israël qui l'accompagnaient eurent entendu les paroles prononcées par les fils de Gad, les fils de Ruben et les fils de Manassé, ils les approuvèrent. [31] Alors le prêtre Pinhas, fils d'Éléazar, dit aux fils de Ruben, aux fils de Gad et aux fils de Manassé : « Nous reconnaissons maintenant que Yahvé est au milieu de nous[c], puisque vous n'avez pas commis une telle infidélité à son égard : dès lors vous avez préservé les enfants d'Israël du châtiment de Yahvé. »

[32] Le prêtre Pinhas, fils d'Éléazar, et les notables, ayant

---

a) Expression sacerdotale; ce ne sont pas les gens des tribus qui officient, mais les prêtres, avec ce qu'on leur apporte.

b) Dans l'un des sanctuaires officiels mais pas nécessairement devant l'arche, cf. 1 S **10** 17; **12** 7.

c) Comme garant de la paix et de l'alliance entre les deux parties, cf. Gn **31** 48-54; 1 S **20** 23.

quitté les Rubénites et les Gadites*a*, revinrent du pays de
Galaad dans celui de Canaan, auprès des Israélites auxquels ils rapportèrent la réponse. ³³ La chose plut aux Israélites : ils rendirent grâce à Dieu et ne parlèrent plus de
monter contre eux pour leur faire la guerre et ravager le
territoire habité par les fils de Ruben et les fils de Gad.
³⁴ Rubénites et Gadites appelèrent l'autel...*b*, « car,
disaient-ils, il sera un témoin entre nous que c'est Yahvé
qui est Dieu. »

II. Dernier discours de Josué*c*

**Josué résume
son œuvre.**

23. ¹ Longtemps après
que Yahvé eut procuré à Israël du repos en face de tous
les ennemis qui l'entouraient,
— Josué était devenu vieux, il était avancé en âge, —
² Josué convoqua tout Israël, ses anciens, ses chefs, ses
juges, ses scribes, et leur dit : « Pour moi, je suis vieux,
avancé en âge; ³ pour vous, vous avez été témoins de
tout ce que Yahvé votre Dieu a fait sous vos yeux à tous
ces peuples; c'est Yahvé votre Dieu qui a combattu pour
vous. ⁴ Voyez ! je vous ai partagé par le sort, comme héritage pour vos tribus, ces populations qui restent à conqué-

---

a) Manassé n'est plus mentionné, mais G l'ajoute. Le récit primitif
n'intéressait peut-être que deux tribus.

b) Le nom propre est perdu, il devait contenir le mot « témoin »,
cf. l'explication du nom de Galaad, Gn **31** 47, 48. La formule de foi signifie
simplement que Ruben et Gad confirment pour leur part l'alliance qui
les unit aux autres tribus, c'est probablement le sens originel de cette tradition.

c) Discours entièrement deutéronomique, cf. **1** 6-15; **8** 33; **10** 14;
22 1-5; Dt **6** 19; **9** 4 (« chassera »); **7** 1-16; **11** 22, 23; **32** 30. Références
plus particulières, voir notes suivantes.

rir comme celles que j'ai exterminées depuis le Jourdain
jusqu'à la Grande Mer à l'occident. ⁵ Yahvé votre Dieu
les chassera lui-même devant vous, il les expulsera de
devant vous et vous prendrez possession de leur pays
comme vous l'a promis Yahvé votre Dieu.

**Conduite à tenir
au milieu
des populations
étrangères.**

⁶ « Montrez-vous donc
très forts pour garder et
accomplir tout ce qui est
écrit dans le livre de la Loi
de Moïse sans vous en écarter ni à droite ni à gauche,
⁷ sans vous mêler à ces populations qui subsistent encore
à côté de vous. Vous ne prononcerez pas*a* le nom de leurs
dieux, vous ne les invoquerez pas dans vos serments, vous
ne les servirez pas et vous ne vous prosternerez pas devant
eux. ⁸ Mais si vous vous attachez à Yahvé votre Dieu,
comme vous l'avez fait jusqu'à ce jour ! ⁹ Aussi Yahvé
a-t-il chassé devant vous des populations grandes et fortes,
et personne n'a pu jusqu'à présent vous tenir tête. ¹⁰ Un
seul d'entre vous pouvait en poursuivre mille, car Yahvé
votre Dieu combattait lui-même pour vous, comme il
vous l'avait promis. ¹¹ Vous aurez bien soin, car il y va
de votre vie, d'aimer Yahvé votre Dieu.

¹² « Mais s'il vous arrive de commettre une apostasie
et de vous lier au restant de ces nations qui subsistent
encore à côté de vous, d'entrer dans leur parenté*b* et
d'avoir avec elles des rapports mutuels, ¹³ alors sachez
bien que Yahvé votre Dieu cessera de chasser devant
vous ces populations : elles seront, en ce cas, pour vous,

---

23 4. *« comme celles que j'ai exterminées » mots déplacés ; après « Jourdain »
dans le texte. — « jusqu'à la Mer » conj. ; « et la mer » H ; « et depuis la mer » G.*

a) Cf. Ex **23** 13; **20** 24; Is **48** 1.
b) Dt **7** 3, cf. Ex **34** 16; Jg **3** 6; 1 R **11** 1-2.

un filet, un piège, des épines dans vos flancs et des poussières dans vos yeux*a*, jusqu'à ce que vous ayez disparu
de ce bon sol que vous avait donné Yahvé votre Dieu.

14 « Et voici que je m'en vais aujourd'hui par le chemin
de tout le monde. Reconnaissez, du fond de votre cœur
et de toute votre âme que, de toutes les promesses que
Yahvé votre Dieu avait faites en votre faveur, pas une
n'a manqué son effet : tout s'est réalisé pour vous. Pas une
seule n'a manqué son effet.

15 « Eh bien ! de même que toute promesse faite par
Yahvé votre Dieu en votre faveur s'est réalisée pour vous,
de même Yahvé réalisera contre vous toutes ses menaces,
jusqu'à vous chasser du bon sol*b* que Yahvé votre Dieu
vous a donné.

16 « Si en effet vous transgressez l'alliance que Yahvé
votre Dieu a exigée de vous, si vous allez servir d'autres
dieux, si vous vous prosternez devant eux, alors la colère
de Yahvé s'allumera contre vous et vous disparaîtrez
rapidement du bon pays qu'il vous a donné*c*. »

III. La grande assemblée de Sichem*d*

Rappel de la vocation d'Israël.

24. 1 Josué réunit toutes les tribus d'Israël à Sichem ; puis il appela les anciens d'Israël, ses chefs, ses juges, ses

---

13. « *épines* » sikkîm *G* ; šoṭeṭ *H inintelligible, cf. Nb* **33** 55. — « *poussières* » *conj.*, βολιδας *G* ; *H* ṣeninîm *rare*.

a) « Filet », cf. Os **5** 1. « Piège », cf. Ex **23** 33 ; **34** 12 ; Dt **7** 16, etc.
« Épines et poussières », cf. Nb **33** 55.

b) Jr **27** 10, 15 dans les mêmes termes, cf. Dt **4** 26, etc.

c) « La colère... vous a donné » extrait de Dt **11** 17.

d) Composé après le précédent sur la base d'une tradition ancienne,
vv. 1 et 23-28, ce ch. sert de conclusion au livre. Le discours et le dia-

scribes[a] qui se rangèrent en présence de Dieu[b]. [2] Josué dit
alors à tout le peuple :

« Ainsi parle[c] Yahvé, le Dieu d'Israël : Au delà du
fleuve habitaient jadis vos ancêtres, Térah père d'Abraham et de Nahor, et ils servaient d'autres dieux[d]. [3] Alors
je pris votre père Abraham d'au delà du fleuve et je lui
fis traverser toute la terre de Canaan, je multipliai sa des-
cendance[e] et je lui donnai Isaac. [4] A Isaac je donnai Jacob
et Ésaü. A Ésaü je donnai la montagne de Séïr en toute

---

logue des vv. 1-22 sont du rédacteur final. Le début de notre livre des
Juges, **1** 1, se relie aux renseignements complémentaires sur les sépultures
de Josué, d'Éléazar, et du patriarche Joseph. Le grec situe toute la scène
à Silo et non à Sichem, vv. 1 et 25, soit par réaction anti-samaritaine, soit
à cause de **18** 1, etc. Les mentions de la pierre et de l'arbre sacré, v. 26,
conviennent mieux à Sichem, bien que ce fussent des accessoires communs
des anciens sanctuaires, Gn **12** 6; **28** 18; **31** 13; **35** 14; Dt **11** 30; Jg **6** 11;
9 6; 1 R **14** 23; 2 R **17** 10; Os **3** 4, etc. La formule : « écartez les dieux
étrangers » rappelle aussi une tradition sichémite, Gn **35** 2-4, bien qu'on
la retrouve ailleurs et dans les mêmes termes, 1 S **7** 3; Jg **10** 16. Dans le
présent contexte, elle indique que certains groupes avaient gardé des traces
de l'ancien polythéisme, il s'agit peut-être d'éléments des tribus du nord
qui n'auraient pas pris part à la migration en Égypte, ou de populations
apparentées aux Israélites par le genre de vie et qui se seraient alors ralliées
à eux, cf. **17** 2 s, et cela se placerait encore très bien à Sichem, antique et
importante ville cananéenne. De toute façon, cette tradition, qui entre mal
dans la synthèse simplificatrice de nos livres, mais qui s'est imposée à
leurs rédacteurs, doit être considérée comme solidement fondée dans la
réalité.

Le discours de Josué, vv. 2-15, peut être considéré comme le développement oratoire d'une antique profession de foi, telle que celle que nous
conserve le Dt, 6 21-24 et **26** 5-9; c'est le début d'un genre qui se déve-
loppera après l'exil dans des psaumes, Ne **9** 7-25; Ps **78**; **105**; **106**, ou
des vues de sagesse, Si **44**-**50**; Sg **10**-**19**, et dans le N. T., Ac **7** 1-54; **13** 17 s,
ainsi que chez l'historien juif Flavius Josèphe. Il s'agit toujours d'une vue
générale du passé d'Israël plus ou moins complète ou adaptée aux circonstances du moment, et aboutissant à une prière, une leçon, ou un appel
à la foi.

a) Cf. **8** 30.
b) Cf. **22** 27.
c) Cf. **7** 13, l'expression est employée parfois pour rappeler et commenter
les événements du passé, cf. Ez **16** 3 s; **20** 3 s.
d) Gn **31** 19-35.
e) Mêmes termes que Ex **32** 13, cf. Gn **22** 15-18.

propriété. Jacob et ses fils descendirent en Égypte.
⁵ J'envoyai ensuite Moïse et Aaron et frappai*ᵃ* l'Égypte
par les prodiges que j'opérai au milieu d'elle. Ensuite je
vous en fis sortir. ⁶ Je fis donc sortir vos pères de l'Égypte
et vous arrivâtes à la mer; les Égyptiens poursuivirent
vos pères avec des chars et des cavaliers*ᵇ* jusqu'à la mer
des Roseaux. ⁷ Ils crièrent alors vers Yahvé qui étendit
un brouillard épais entre vous et les Égyptiens et fit revenir
sur eux la mer qui les recouvrit. Vous avez vu de vos propres yeux ce que j'ai fait en Égypte, puis vous avez séjourné
longtemps dans le désert*ᶜ*. ⁸ Je vous introduisis ensuite
dans le pays des Amorites qui habitaient au delà du Jourdain; ils vous firent la guerre et je les livrai entre vos
mains, aussi avez-vous hérité*ᵈ* de leur pays, car devant
vous je les anéantis. ⁹ Puis se leva Balaq, fils de Çippor,
roi de Moab*ᵉ*, pour faire la guerre à Israël, et il envoya
quérir Balaam, fils de Béor, pour vous maudire. ¹⁰ Mais
je ne voulus pas écouter Balaam : il dut même vous bénir
et je vous ai sauvés de sa main.

¹¹ « Vous passâtes ensuite le Jourdain pour atteindre
Jéricho, mais les maîtres de Jéricho vous firent la guerre*ᶠ*,
les Amorites*ᵍ*, les Perizzites, les Cananéens, les Hittites,
les Girgashites, les Hivvites et les Jébuséens, mais je les

---

24 5. « *prodiges* » Gᴬ *et Vers.*; « *comme j'ai fait* » H.
  8. « *introduisis* » wâʾâbî *Qer* ; wâʾâbîʾah *Ket fautif.*

---

  a) Même racine que « fléau » de **22** 17, cf. Ex **3-15**.
  b) « Chars » et « cavaliers », comme en Ex **14** et **15** 19, autrement dans
le poème de Ex **15**.
  c) Cf. Ex **14** 10-28; **15** 5, 10. Pas d'allusion aux péchés d'Israël dans
le désert, le contexte demande qu'on n'insiste pas sur de tristes souvenirs,
cf. **5** 4, pas d'allusion non plus à Nb **25** dans la suite.
  d) Cf. Nb **21** 21-35; Dt **2** 26-3 11.
  e) Cf. Nb **22-24**.
  f) Allusion à un récit perdu, cf. **2**.
  g) Cf. **3** 10.

livrai en votre pouvoir. [12] Je vous fis précéder par les
frelons qui chassèrent[a] devant vous les deux rois[b] amorites, ce que tu ne dois ni à ton épée ni à ton arc[c]. [13] Je
vous ai donné une terre qui ne vous a demandé aucune
fatigue, des villes que vous n'avez pas bâties et dans lesquelles vous vous êtes installés, des vignes et des olivettes
que vous n'avez point plantées, et qui servent aujourd'hui
à votre nourriture[d].

Israël choisit Yahvé.

[14] « Et maintenant crai-
gnez Yahvé et servez-le dans
la perfection en toute sincé-
rité[e]; éloignez les dieux que servirent vos pères au delà
du Fleuve et en Égypte[f] et servez Yahvé. [15] Toutefois,
s'il ne vous plaît pas de servir Yahvé, choisissez aujour-
d'hui qui vous voulez servir, soit les dieux que servaient
vos pères au delà du Fleuve, soit les dieux des Amorites

---

13. « *vous a demandé* » *G* ; « *t'a demandé* » *H*.
15. « *au delà* » b^eʿêbèr *Ket et Qer de plusieurs Mss ;* méʿêbèr *Qer du texte
courant*.

---

a) Cf. Ex **23** 28 (dans les mêmes termes); aussi Dt **7** 20; Sg **12** 8; et
note sur **10** 11.
b) « Deux rois » : normalement, les deux rois de Transjordanie, cf. **12**
1-6, pas en place ici; G dit « douze », chiffre qui désigne souvent une totalité de peuples alliés, cf. Gn **25**.
c) « Ni à ton arc » en opposition à Gn **48** 22, et dans le même sens que
Os **1** 7 et Ps **44** 7.
d) Résumé de Dt **6** 10-13.
e) « Perfection », « sincérité » : ces deux mots se trouvent ensemble
dans Jg **9** 16, 19, dans une autre emploi. Appliqué à l'attitude de l'homme
envers Dieu, « perfection », ou l'adjectif correspondant, est du vocabulaire
sacerdotal, Gn **17** 1; Ez **28** 15; Ps, il s'applique aussi à des choses : un jour
entier, Jos **10** 13, une victime sans tare, Ex **12** 5, etc. La « sincérité » ne se
dit que des humains, surtout chez les prophètes, Is **10** 20, et les historiens, 1 S **12** 24; 1 R **2** 4; 3 6; 2 R **20** 3, etc.
f) Cf. Ez **20** 5-8; **23** 3. Ce n'est pas mentionné aux vv. 2 et 15 et c'est
peut-être une addition ancienne.

dont vous habitez maintenant le pays. Pour moi et ma famille, nous voulons servir Yahvé. »

[16] Le peuple répondit : « Loin de nous de délaisser Yahvé pour servir d'autres dieux ! [17] Yahvé notre Dieu est celui qui nous a fait sortir, nous et nos pères, de la terre d'Égypte, de la maison de servitude[a], et qui devant nos yeux a opéré ces grandes merveilles[b], et nous a protégés tout le long du chemin que nous avons parcouru et parmi toutes les populations à travers lesquelles nous avons passé[c]. [18] Bien plus, Yahvé a chassé devant nous toutes les populations ainsi que les Amorites qui habitaient le pays. Nous voulons nous aussi servir Yahvé, car c'est lui notre Dieu. »

[19] Alors Josué dit au peuple : « Vous ne pouvez pas servir Yahvé, car il est un Dieu saint[d], il est un Dieu jaloux[e] qui ne pardonnera ni vos transgressions[f], ni vos péchés[g]. [20] Si vous abandonnez Yahvé pour servir les dieux de

---

a) Ex **13** 3; **20** 1; Dt **5** 6; **7** 8, etc.

b) Ex **4** 8-30; **7** 3; **10** 1, 2; Dt **4** 34; **6** 22, etc.

c) Résumé de Dt **2** 4-18.

d) Cf. Lv **11** 44, 45; **19** 2; **22** 32. Cette notion met en relief la séparation radicale entre Dieu et la créature. La sainteté se communique pourtant aux prêtres, au peuple, aux objets du culte, à qui s'imposent alors de strictes règles de pureté et d'intégrité (ou «perfection», cf. v. 14), à défaut de quoi la « sainteté » écrase quiconque s'en approche indûment, Is **6** 3-5; Ex **19** 12-23; **20** 19; **33** 20. À la « sainteté » répond donc chez l'homme un sentiment de crainte, 2 S **6** 7-9.

e) Cf. Ex **20** 5; **34** 14; Dt **5** 9; **6** 15; etc.; 1 R **14** 22; Ez en plusieurs endroits. Cette idée, de caractère assez anthropomorphique, exprime l'aversion de Yahvé pour le culte d'un dieu étranger quel qu'il soit. Il y répond chez l'homme la fidélité ou sincérité, cf. v. 14; Za **8** 2, 3.

f) « Transgression », *péša‘*, plus proprement « révolte », cf. sur la même racine 1 R **12** 19, etc., acte grave et engageant la volonté, d'où Am **1** 3-2 6 (crime); Is **50** 1 (infidélité). La « transgression » s'oppose donc à la fidélité.

g) « Péché », *ḥaṭṭa'ah*, racine « manquer », « ne pas atteindre », Is **65** 20, faute due en partie à l'ignorance ou à la faiblesse, Lv **4** 2, 3; Nb **5** 6, s'oppose à la « perfection ». Malgré la tendance de l'hébreu à banaliser, la nuance entre ces deux mots doit être retenue ici.

l'étranger[a], il vous maltraitera à son tour et vous anéantira après vous avoir fait du bien. »

[21] Le peuple répondit à Josué : « Non, c'est Yahvé que nous voulons servir. » [22] Alors Josué dit au peuple : « Vous êtes témoins[b] contre vous-mêmes que vous avez fait choix de Yahvé pour le servir. » Ils répondirent : « Nous sommes témoins. » — [23] « Alors, écartez les dieux de l'étranger qui sont au milieu de vous et inclinez[c] votre cœur vers Yahvé, Dieu d'Israël. » [24] Le peuple répondit à Josué : « C'est Yahvé notre Dieu que nous voulons servir, c'est à sa voix[d] que nous voulons obéir ! »

[25] Ce jour-là, Josué conclut

Le pacte de Sichem. une alliance[e] pour le peuple; il lui fixa un statut et un droit[f], à Sichem. [26] Josué transcrivit ces paroles dans le livre de la Loi de Dieu[g]. Il prit ensuite une grosse pierre et la dressa là sous le chêne qui est dans le sanctuaire de Yahvé. [27] Josué dit alors à tout le peuple : « Voyez ! Cette pierre sera un témoin[h] contre nous parce qu'elle a entendu

---

a) Même mot que Gn **35** 2, etc., et Dt **31** 16.

b) Seul emploi de cette formule quasi juridique dans un contexte de ce genre, cf. 2 R **11** 17, 18; **23** 1-3; 2 Ch **15** 12; Ne **10**.

c) Cf. 1 S **7** 3. Reprise de l'ancien récit probablement.

d) Cf. Dt **5** 4-27 et Ex **24** 3-7.

e) Cf. note sur **9** 6. Josué agit ici comme représentant personnel de Dieu, cf. v. 15; en faisant alliance avec le peuple, à la façon de David, 2 S **5** 3, il introduit celui-ci dans l'alliance de Yahvé.

f) « Statut », *ḥoq,* décision d'autorité fixant la part et les devoirs de chacun, Ex **29** 28; **30** 21; Lv **6** 11, 15, etc. Le « droit », *mišpâṭ,* est un jugement, 1 R **3** 28, qui fait ensuite précédent. La nuance tend souvent à s'effacer, cf. 1 S **30** 25; et Ex **15** 25; Esd **7** 10. C'est le seul endroit où une activité législative de quelque importance soit attribuée à un autre que Moïse.

g) Même expression Ne **8** 8, 18; **9** 3; 2 Ch **17** 9. On parle plus souvent du « livre de la Loi », ou de la « Loi de Yahvé ». Ce demi-verset doit être une addition au récit primitif.

h) Comparer au tas de pierres, Gn **31** 48, 52, à l'autel, Jos **22** 26, à la stèle, Is **19** 19-20; et à l'idée plus élaborée du v. 22.

toutes les paroles que Yahvé nous a adressées ; elle sera un témoin contre vous pour vous empêcher de renier votre Dieu. » [28a] Enfin, Josué congédia le peuple et chacun regagna son héritage.

IV. APPENDICES

Mort de Josué.

[29] Après ces événements, Josué, fils de Nûn, serviteur de Yahvé[b], mourut, à l'âge de cent dix ans. [30] On l'ensevelit dans le domaine qu'il avait reçu en héritage, à Timnat-Sérah[c] qui est situé dans la montagne d'Éphraïm au nord du mont Gaash. [31] Israël servit Yahvé pendant toute la vie de Josué et toute la vie des anciens qui survécurent à Josué et qui avaient connu tout ce que Yahvé avait accompli en faveur d'Israël.

‖ Jg **2** 6-10

Les os de Joseph.
Mort d'Éléazar.

[32] Quant aux ossements de Joseph[d] que les enfants d'Israël avaient apportés d'Égypte, on les ensevelit à Sichem dans la parcelle de champ que Jacob avait achetée aux fils de Hamor[e], père de Sichem, pour la somme de

---

a) Les vv. 28-31 sont repris de Jg 2 6-9.
b) Titre de Moïse, **1** 1, qui sera donné plus tard à David, Ps **18** 1 ; **89** 4, 21, et préfigure le « Serviteur » d'Isaïe, **42** 1, etc.
c) Cf. **19** 50. Les Septante ajoutent : « Là ils déposèrent avec lui dans le tombeau où ils l'avaient enseveli, les couteaux de silex avec lesquels il avait circoncis les Israélites à Galgala lorsqu'il les eut fait sortir d'Égypte comme le Seigneur lui avait ordonné, et ils sont encore là jusqu'à ce jour. »
d) Cf. Gn **50** 24-25 ; Ex **13** 19. Cette sépulture achève le retour d'Égypte où le peuple de Dieu n'a donc rien laissé.
e) Cf. Gn **33** 18-20 ; Jg **9** 28.

cent pièces d'argent, et qui était devenue héritage des fils de Joseph. [33] A son tour, Éléazar, le fils d'Aaron, mourut et on l'ensevelit à Gibéa, ville de son fils Pinhas, qui lui avait été donnée dans la montagne d'Éphraïm[a].

---

32. « *était devenue* » wayᵉhî *Vers.*; « *ils étaient devenus (les ossements)* » wayyihyû *H.*

---

a) Les Septante ajoutent : « Alors les Israélites s'en allèrent chacun à son logis et chacun en sa ville. Les Israélites rendirent un culte à Astarté, à Astarot et aux dieux des nations qui les entouraient. Aussi le Seigneur les livra au pouvoir d'Églôn roi de Moab, qui les opprima pendant dix-huit ans », cf. Jg 2 11-13 et 3 14.

TABLE

ACHEVÉ D'IMPRIMER SUR LES
PRESSES DE L'IMPRIMERIE
DARANTIERE A DIJON, LE
TRENTE OCTOBRE M. CM. LVIII

Numéro d'édition 4.918
Dépôt légal 4e trimestre 1958

19231